封印された
国家プロジェクト
歴史ミステリー研究会編
JN131253
彩図社

はじめに

国家の威信と繁栄、そして見栄をかけ、途方もない巨額の費用を投じて取り組むのが「国家プロジェクト」だ。

基本的には、政治や行政主導によって新しい分野や新規事業に投資される大規模事業のことで、国が承認し、巨額の予算をつけた大型プランのことである。

日本の「新幹線の建設」、アメリカの「アポロ計画」、シンガポールの「飲料水革命」など成功を収めているものもあるが、なかにはやむをえず計画中止に追い込まれたものや、失敗に終わったものも少なくない。

そこで、本書では長い間封印されてきた国家プロジェクトの数々を取り上げてみた。

たとえば、ヒトラーが建設しようとした超近未来世界首都「ゲルマニア」や、SFに出てくるような兵器「怪力線」、採算が取れずに赤字を垂れ流した超音速旅客機「コンコルド」を覚えている人もいるだろう。

モノだけではない。オーストラリアが計画した最小島国ナウルの全島民移住プランも結局、実現できなかった。

また、リビアのカダフィ大佐が提唱した「アフリカ合衆国」や、中国の毛沢東が行った「大躍進政策」などは、国家元首がみずから先導したにもかかわらず失敗の憂き目に遭っている。

これらの一連の国家プロジェクトに共通して言えるのは、どれもこれも鳴り物入りで始まっていることだ。

アイデア自体はすばらしいのに計画が無謀だったり、途中で予算がふくらんで頓挫したり、その能力があまりにも大きすぎたりしたケースもある。

おかげで、途中で廃棄された遺物がいまだに放置されている例も少なくない。たとえば、本書の表紙にある巨大なＵＦＯを思わせる「旧ブルガリア共産党本部」などがそうだが、それらの画像もご覧いただきながら、封印されたプロジェクトの数々を紹介していきたいと思う。

今日も世界のあちこちで国家プロジェクトが進んでいる。その中に本書で取り上げたような〝失敗〟が繰り返されないとは言えないのだ。

２０２０年２月

歴史ミステリー研究会

1章 国家が夢見た巨大建造物

2章 国家の命運を左右するビッグプラン

3章 強国になるための兵器と戦争

4章 豊かさを追求したプロジェクト

1章

国家が夢見た巨大建築物

ヒトラーが建設しようとした世界首都「ゲルマニア」

◆ヒトラーが戦争後にやりたかった大事業

1939年9月1日、ヒトラー率いるドイツ軍がポーランドに侵攻し、その2日後にイギリスとフランスがドイツに宣戦布告をした。ここから、終戦まで5年以上におよぶ、泥沼の第2次世界大戦が勃発したのだ。

じつはヒトラーは、みずから仕掛けたこの戦争を「始まり」と同じように電撃的に終わらせるというシナリオを描いていた。

事実、開戦から1年もたたないうちにデンマークやノルウェー、オランダ、ベルギー、そしてフランスを降伏させるという快進撃をみせている。

だが、なぜヒトラーはそんなにコトを急いだのだろうか。

じつは、さっさと戦争を終わらせて、ほかに人生をかけて取り組みたい大事業があったからだ。それは、世界首都「ゲルマニア」の建設だった。

みずから都市の設計をするヒトラー。（中央）

◆魅力あふれる都市づくりへの意欲

生前、ヒトラーは何度も「私は建築家になりたかった」と身近な人物に話している。

彼は一時期美術家を志しており、美術学校を受験したこともあった。受験は失敗したものの、美術に対する興味が薄れることはなかったのだろう。スケッチがうまく、縮尺通りの断面図や見取り図を描く技術を持っていた。

そして、準備は着々と進められた。ヒトラーは、自分が雇った建築家など数人しか入ることのできない秘密の部屋をつくり、そこに、新しい都市の全体模型を完成させた。１９３６年当時のことである。

30メートルもあるメインストリートを擁したこのジオラマを、ヒトラーは飽きもせず
に眺めていたという。
ヒトラーが思い描くゲルマニアは、単なるドイツの首都ではなく〝世界の首都〟にふ
さわしい大都市だった。
当時ベルリンの人口は急速に増加しており、ヨーロッパ経済をリードしていたパリに
次ぐ第2位につけていた。
そんな大都市でありながら、ベルリンの街にはパリのような魅力がなかった。シャン
ゼリゼ通りのような街路樹が美しいメインストリートもなければ、ナポレオンが建てた
重厚な凱旋門もない。
だから、ヒトラーはベルリン市内のインフラや建物のほとんどを壊して、世界首都に
ふさわしい完全なる人工都市をつくりたかった。ありていに言えば、すべてを自分好み
に変えて厳格に統制したかったのだ。
だが、もちろん国民の前でそんなことは言えない。建設作業員には、「常に最大であ
らねばならない」「ドイツ人の自尊心を取り戻してやるためだ」「我々は劣っていない」
とゲキを飛ばした。

◆世界首都の巨大模型

ヒトラーの言葉通り、完成予定のゲルマニアは何もかもが巨大だった。

まず、南北に延びるメインストリートの幅はシャンゼリゼ通りよりも20メートル広い120メートル、全長は5キロメートルとした。

そして、その通りにはオペラ劇場やコンサートホール、会議場、2万人を収容する大衆映画館、ベッド数が1500ある21階建てのホテルなどが配置されることになっていた。

メインストリートの南の出発点はガラス張りの中央駅だ。この駅には上下4層のプラットホームがあり、その前には幅330メートルもある駅前広場が広がる。

そして、そこから800メートル先には、花崗岩でできた高さ117メートル、幅170メートル、奥行き119メートルの建造物がそびえ立っていた。

ナポレオンの凱旋門ならぬ〝ヒトラーの凱旋門〟である。

ここには第1次世界大戦の犠牲者180万人の名前を刻む予定だった。

その凱旋門をくぐって大通りを北に進むと、バチカンのサン・ピエトロ大聖堂のようなドームを持つ建物が見えてくる。

これは、15万人を収容できる集会ホールで、直径250メートルのドームの下には柱のない3万8000平方メートルの空間が広がる。

そして、ドームの前の円形広場は「アドルフ・ヒトラー広場」と名づけられた。

近くには敷地面積が200万平方メートルの総統宮殿があり、一度に1000人が食事できる部屋や公式会見のための大サロンが8つ、400席の劇場がつくられる予定だった。

何もかもが、ヒトラーの征服欲を満足させるのにふさわしいつくりになっていたのだ。

◆永遠のオリンピックスタジアム

ゲルマニアの中には、40万人の観客を収容するスタジアムの建設も予定されていた。高さ2メートルを超える模型も完成していて、内部の空間まで緻密につくり込まれ、スポットライトの光が当てられていた。

このような模型を眺めている時のヒトラーは、ふだんの寡黙な雰囲気から一変し、いつになく興奮した様子でしゃべったという。そして、うわずった声でこう言った。

「1940年は東京でオリンピックが行われるが、その後は永久にこのスタジアムで開

世界首都ゲルマニアのジオラマ（左）と、その中央にあるヒトラーの凱旋門（右）。

かれるのだ」

またある時は、「1950年には万国博覧会をやろう。それまで建物は空き家にしておいて、博覧会会場に使うのだ」と夢を語った。

◆ヒトラーの自殺と敗戦で消える

夢の実現に向けて戦争中も工事は続けられた。1950年までに世界首都ゲルマニアを完成させて、世界にお披露目する予定だったのだ。

しかし、連合軍が100万の兵をノルマンディーに上陸させ、ドイツの支配からパリを解放すると、追い詰められたヒトラーは総統地下壕の一室で自殺する。

ドイツは敗戦国となり、ヒトラーの都市計画が実現することはなかったのだ。

東京と北京を結ぶ弾丸列車と朝鮮海峡横断トンネル

◆戦前に立てられた壮大な新路線の計画

東京から海を越え、韓国のソウルや中国の北京まで列車で行くことができたらどんなにいいだろうか。

旅行好きや鉄道ファン、なかでも実際に乗車することを重視する〝乗り鉄〟にとってはプラチナチケットになるに違いない。

そんな夢の路線が、じつは戦前に計画されていたというのだ。

振り返ってみると、東海道新幹線の開通は1964年で、山陽新幹線の開通はさらに後なので、東京から関西・九州方面へ時間をかけずに移動できるようになったのは戦後かなりの時を経てからのことだった。

ところが、それよりはるか前から壮大な新路線の計画が立てられていたというから驚かされる。

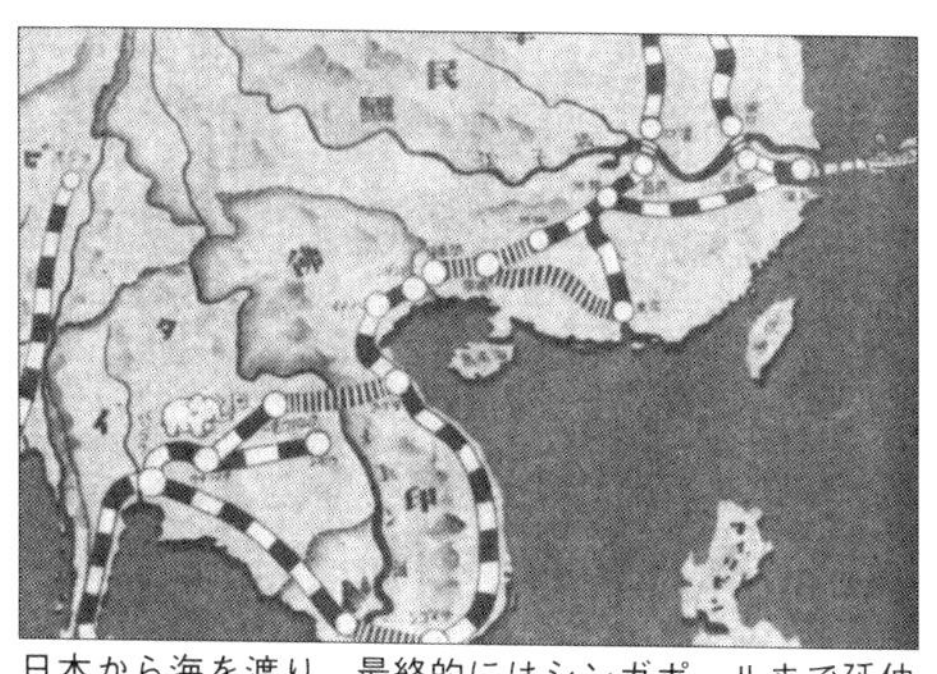

日本から海を渡り、最終的にはシンガポールまで延伸する計画もあった。（出典:『写真週報』242号）

戦前、国鉄はすでに東京から下関までを最高時速200キロメートル、乗り換えいらずの9時間で結ぶという「弾丸列車計画」を打ち上げていた。

その線路は九州から壱岐島、対馬を通る海底トンネルを経て朝鮮半島、さらにはユーラシア大陸へとつながる夢の国際鉄道を走らせるもので、しかも実際に工事は進められていたのである。

◆不足していた大陸への輸送力

日本が中国の北東部に「満州国」の樹立を宣言したのは1932年のことだった。

その後日本は、国策として現地の開拓のために農家の移民政策を実施したため、満州に移住する日本人は増えていった。

彼らは「満蒙開拓団」と呼ばれ、終戦の年までおよそ27万人が海を渡ったという。日本から中国や満州、朝鮮半島への輸送量は激増し、人々は下関や神戸、新潟や富山から船に乗り海を渡っていた。

しかし船便は天候に左右されるし、速度にも限界がある。さらに経済の中心地である東京や大阪から港のある場所への移動は時間がかかり不便だった。

飛行機による定期便も運行はしていたもののコストがかかりすぎる。

そこで、東京から名古屋、大阪を経て下関まで直通の高速鉄道を走らせ、その列車をフェリーで朝鮮半島まで運ぶ計画が浮上する。

そればかりか、海底トンネルを使って列車そのものを朝鮮半島経由で中国大陸に乗り入れさせるという輸送ルートが実現に向け動き出したのである。

日本と朝鮮半島の間に総距離約２００キロメートル、海底部分だけでも約１３０キロメートルという巨大なトンネルを造り、博多と釜山を3時間で結ぶ――。壮大な計画というしかないが、大東亜共栄圏構想を唱えてアジアの各地に進出していた頃の日本である。

そんな夢のような話を疑わない勢いが当時の日本にはあったのかもしれない。

◆掘削技術はすでにあった

じつは、当時の日本のトンネル掘削技術はすでに世界的に高いレベルにあった。難所として知られる関門海峡を掘り進め、開戦して間もない1942年に世界初の海底鉄道トンネルを開通させていたのだ。山口県の下関と福岡県の門司を結ぶ関門トンネルである。

関門トンネルは、長さ3・6キロメートル、海底部だけでも1キロメートルを超えた。この技術をもってすれば、朝鮮海峡の海底トンネルもけっして絵に描いた餅ではなかったのだ。

◆本当に始まった工事

弾丸列車のほうも実現に向けて具体的な計画が練り上げられていった。

客車や貨物列車を走らせながら東京から大阪までを4時間以内、その先の下関までを9時間以内で結ぶという目標がぶち上げられたのだ。

当時は、東京―大阪間が特急列車で8時間半かかった時代である。それよりはるかに短時間での輸送を現実のものにするため、5億円以上という破格の予算が組まれ、目標最高時速は200キロメートルとされた。

そのスピードはまさしく弾丸という通称にふさわしいものだった。

弾丸列車の開通に向けて、静岡県の一部では実際に用地の買収やトンネル工事が開始された。

海底トンネルに関しても、壱岐島や対馬、朝鮮半島南部の固城（コソン）や馬山（マサン）で調査が実施された。「大陸をつなぐ」という見出しで朝鮮海峡横断トンネルを報じた当時の新聞記事も残っている。

ところが、太平洋戦争が激化すると工事の資材どころか食糧や武器弾薬すら不足し、鉄不足のため一般の家庭から鍋や釜が取り上げられてしまうようになった。

前述の関門トンネルも、起工こそしたものの戦争により人手・資材ともに不足したため、1942年に開通したのは下り線のみで、上り線はその2年後にようやく完成にこぎつけている。

国家総動員法が出され本土決戦の気運が高まるなか、朝鮮半島への海底トンネルや高速鉄道は夢のまた夢となり、そのまま日本は終戦を迎えたのだ。

戦前に一部掘られていた新丹那トンネルで行われた起工式の様子。

◆戦後、新幹線の建設に利用される

ただ、弾丸列車計画はまったく無駄には終わらなかった。

戦後、夢の超特急は新幹線という形で現実のものとなり、戦前の計画の一部が新幹線計画に引き継がれたのだ。

現在も東海道新幹線が通過している静岡県の新丹那（しんたんな）トンネルや日本坂トンネルは、かつての弾丸列車計画の際に工事が始まっていたトンネルを利用したものなのである。

戦前から考案されていた計画や当時の人々の尽力があったからこそ、終戦からわずか19年で新幹線の開通にこぎつけられたのだといえるだろう。

廃墟となった巨大レーダー施設「DUGA-3」

◆チェルノブイリ近隣にある廃墟

今から30年以上も前の1986年、旧ソ連のチェルノブイリで史上最悪と呼ばれた原子力発電所事故が発生した。

原因は人為的ミスや設計ミスといわれ、およそ40万人の住民が避難を余儀なくされた。一説によると、この時ばらまかれた放射性物質は、広島に落とされた原子力爆弾の500発分に相当するという。

その後、ソ連が崩壊したことで現在はウクライナに属しているが、チェルノブイリ一帯の、特に発電所があった周辺は居住不可の危険区域となり、簡単には立ち入れない場所になってしまった。

そんな世界でもっとも有名な〝廃墟〟の片隅に、じつはロシア人にもあまり知られていない旧ソ連時代の遺物がひっそりと眠っているのだ。

放棄されて久しい「DUGA-3」。

◆人の姿のない巨大レーダー施設

その遺物とは、「DUGA-3（ドゥーガ）」という名の巨大なレーダーである。

全体の長さはおよそ1キロメートルで、高さは優に150メートルはある。遠くから見れば、いくつもの鉄塔が連結した巨大なフェンスのようにも見える。その様子からかつては「スティールヤード」とも呼ばれていた。

周囲はといえば野生化した草や樹木が生い茂り、人の気配もなくゴーストタウン化している。

そんな退廃的な空間に突如として現れるこの鉄のカタマリは妙な存在感を放ち、一種異様な光景を生み出しているのだ。

◆冷戦時代に生まれた旧ソ連の軍事施設

では、これはいったい何の目的で設置されたのか。

じつは、このレーダーは自国に飛来する航空機や長距離弾道ミサイルなどを監視するために、旧ソ連が造り上げた軍用早期警戒レーダーである。

このアンテナが造られた1970年代、ソ連がアメリカと冷戦関係にあったといえば設置した意味や目的も一目瞭然だろう。

その証拠に、DUGA－3には非常に大きなOTHレーダーというアンテナが備えられている。

OTHレーダーは〝超地平線レーダー〟とも呼ばれ、電波の反射や屈折現象を利用することで、地平線を越えてどこまでも探知できるのが特徴だ。

一説には、このDUGA－3でアメリカの一部を含む北極圏までをも監視できる性能を持っていたといわれている。

近づくと、太い鉄線の集合体であることがわかる。

◆稼働したのはわずか10年

そのＤＵＧＡ－３が利用していたのは短波で、無線で受信するとパタパタという独特の音がした。

この音がまるでキッツキが木をコッコッとついばむ音に聞こえるということから、当時の無線愛好家の間では、「ロシアン・ウッドペッカー」の名で、しかも悪名高いノイズとして有名だった。

レーダー全体に関する細かい仕様や実績、建設費などはまったく公になっていないが、その圧倒的なスケールにかなりの国家予算がつぎこまれたことは想像に難くない。

にもかかわらず、１９７６年～１９８６年のたった10年稼働しただけで、その役目は終わってしまったのだ。

もちろん、その理由は1986年に起こったチェルノブイリの原発事故にある。

DUGA－3が設置されたのはプリピャチ市近郊の、まさに事故の発生源となった原子力発電所4号炉のすぐそばだった。

この町は事故からほどなくして放射能汚染地域となり、巨大なレーダーもそのまま打ち棄てられてしまったというわけだ。

建物の中にはまだ一部の書類などが残っている。

◆現在は廃墟マニアを惹きつけている

ところで、2015年にウクライナである一本のドキュメンタリー映画が発表され、話題になったことがある。

タイトルは『ザ・ロシアン・ウッドペッカー』で、つまりDUGA－3から発せられる短波ノイズの名称である。

この映画は、ウクライナに生まれ育ったアーティストがつくったのだが、その内容は旧ソ連のある疑惑に迫ったものだった。

その疑惑とは、「DUGA―3にはじつは大きな欠陥があり、チェルノブイリの原発事故はそのミスを隠蔽するために〝わざと〟引き起こされた」というものだ。

実際、そのドキュメンタリーでDUGA―3の建設に携わった人々に取材しているが、誰もこのレーダーの詳細は知らされておらず、建設当時の様子も見えてこない。

結局、映画は真相にはたどり着けずに終わっているが、見る者に「もしかしたら」「あるいは」と思わせるほど、このレーダーが謎に満ちているのは間違いない。

現在、チェルノブイリでは、原発事故の記憶を風化させぬようにと旅行客向けのツアーが組まれている。

そのツアーにはDUGA―3の見学も含まれており、廃墟マニアをうならせる隠れた名所になっているのである。

未完成なのに〝廃墟〟と呼ばれる「柳京ホテル」

◆「世界最大の廃墟」と呼ばれる建物

近年、歴史的な遺構やうち捨てられた建造物をまわる廃墟ツアーが人気だ。

たしかに朽ち果てた姿には退廃の美といった風情がある。廃墟に魅せられた人は多く、廃墟の姿を収めた写真集なども多く刊行されている。

北朝鮮にも、そんな廃墟マニアの間では有名な建造物がある。それが、「柳京（リュギョン）ホテル」だ。

首都の平壌に建設中の柳京ホテルは、着工から現在に至るまでじつに30年以上の月日が経っている。廃墟とはいっても、過去一度も開業したことはなく、常に建設中か工事がペンディングとなっている状態なのだ。

「世界最大の廃墟」といわれるこの建物は、北朝鮮の国政と外国資本の間で長年にわたって翻弄されてきた。

◆韓国に対抗して建設を開始する

柳京ホテルの建設は１９８７年に始まっている。１９８８年に韓国でソウルオリンピックが開催されることに対抗し、北朝鮮で行われる１９８９年の第13回世界青年学生祭典に向けて建設が始まった。

外観は空に突き刺さるようなピラミッド型で、高さは約３３０メートル、１０５階建てで客室は３０００以上、最上階には回転展望レストランを３つも備えるという、壮大な計画だった。

高さ約330メートルの柳京ホテル。

建設費は当初の予算だけで国内総生産の2パーセントにも相当する巨額のプロジェクトだったが、あまりに巨大な建物だったことから、期日までに完成させることができなかった。そのために、祭典には急ごしらえのホテルを2棟建設して間に合わせるという始末だった。

◆資金は不足し建物は傾く

祭典には間に合わなかったものの、柳京ホテルはそのまま建設が続けられた。

しかし、1992年には資金難のために工事が中断してしまった。

さらに、川岸の地盤の悪い土地に建てられていることや設計段階でのミスから、建物が傾いていることも判明しているという。

一時期は平壌の観光地図からも消され、なかったものとして扱われていた柳京ホテルだが、その巨大さゆえに存在を消し去ることはかなわず、世界に向けて計画のずさんさをさらし続けることになってしまった。

そして皮肉なことに、欧米のメディアなどから「人類史上最悪の建造物」「世界最大

左は2007年、右は2008年に撮影されたもの。少しずつではあるが工事は進んでいるようだ。

の廃墟」「傾いた北朝鮮式シンデレラ城」などと揶揄されることで、世界的にも有名な建造物となったのである。

◆海外からの援助もムダに終わる

この頓挫していた国家プロジェクトに救いの手を差し伸べた企業があった。エジプトの大手通信会社オラスコム・テレコムだ。

オラスコム・テレコムは、2008年に北朝鮮に進出し、移動体通信事業と柳京ホテルの建設に参入した。

会長はエジプト人のナギーブ・サウィリス氏で、世界長者番付にも載ったことのある大富豪だ。エジプトの美術館から盗まれたゴッホの絵画

建物の存在感に加えて、経済的にも存在感を示せるかはこれからの成り行きしだいだ。

に1500万円の懸賞金をかけたり、2015年にはシリア難民に対して自身が購入した無人島を開放するという計画を発表したりして話題となった人物である。

このオラスコムの参入により工事が再開されたものの、その後も柳京ホテルはなかなか開業にこぎつけることはできなかった。

資金難が続いて再び工事が中断されているという説が流れたり、一度参入を表明した国際的なホテルチェーンのケンピンスキーグループが、一転して撤退を表明するなど、計画は二転三転を繰り返していたように見える。

北朝鮮という国の特殊なお国柄ゆえに、その内情を推し量るのは困難を極めるが、現実的に柳京ホテルに灯がともることはこれまで一度もなかったのである。

◆いよいよ開業か？

事態が急転直下の様相を見せたのが2015年の10月だった。柳京ホテルの上層階で電気がともされた様子が確認されたのである。

1992年の工事中断時には、建設の進行状態は60パーセントにすぎず、備品はおろか窓も外装もないという状態だったのだが、オラスコムの参入以降、少しずつではあっても完成に近づいていたということになる。

このことで、にわかに柳京ホテルの開業が真実味を帯びて語られるようになった。事実、2016年の12月にはサウィリス会長が平壌を訪問しており、これが柳京ホテルの視察を含んだ訪問だったとみる向きもある。

さらに、2018年4月には、頂上付近で北朝鮮国旗を映し出すライトアップが始まり、「いよいよ開業か？」といううわさも流れた。

とはいえ、ギリギリまで何が起きるのかわからないのが北朝鮮だ。柳京ホテルが30年以上の歳月をかけて廃墟から脱することができるのかは、神のみぞ知るといったところだろう。

巨大ゴーストタウンと化した内モンゴルの都市

◆セレブが住んでいてもおかしくない街

世界にはさまざまな理由でゴーストタウンと化した町がある。

たとえば、チェルノブイリ原子力発電所の事故によってまるごと消えたウクライナのプリピャチ市や、産業構造の変化によって無人となった長崎県の軍艦島などがそうだ。数あるゴーストタウンのなかでも新しくて巨大なのが、中国の北部、内モンゴル自治区の西南部に位置するオルドスである。

ここは中国のゴーストタウンとしては最大規模といわれている場所だ。

周囲は砂漠地帯だが、人が住めないほど過酷な環境というわけではない。現に、街には高級なマンションや公共施設が整っている。

一見すると富裕層が住んでいてもおかしくないようなセレブシティなのに、なぜゴーストタウン化してしまったのだろうか。

ゴーストタウンと化したオルドス市。（写真提供:時事）

◆石炭バブルで夢がふくれあがる

オルドス市は、もともと羊毛業が主産業の貧しい田舎町だった。

だが、中国全体の埋蔵量の6分の1に相当する豊富な石炭資源が眠っていると明かされてからは、石炭の街としてにわかに活気を帯びるようになる。

そして1990年代に入ると、中国経済の成長にともなって石炭の価格が高騰し、オルドスもまた石炭バブルに沸いた。すると石炭長者が続々と誕生し、不動産に投資を始めるなどして、街全体の金回りがよくなったのである。

これにうまみを感じたのが地元の役人だ。新たに行政特区として「カンバシ新区」を設け、オルドスそのものをセレブが住む高級都市にしようと再開発を画策したのだ。北京から飛行機で2時間で着くので、そこまで辺境というわけでもない。町が予測した移住者は100万人以上で、まさに壮大な夢を描いたのだ。

行政機関はこれまで東勝区にあった旧市街から、カンバシ新区に移された。道路などのインフラも急ピッチで整えられ、地方の都市に豪華な高層マンションが次々と姿を現したのだ。

世界の有名な建築デザイナー100名が名を連ねる別荘地開発も計画され、それに関連した美術館が建てられたりもした。

ところが、着々と進んでいたかに見えた夢の街づくりは、ほどなくしてトーンダウンする。急激な都市化に反して、いっこうに移住者が増えなかったのだ。

石炭の一点張りで、他に都市としての魅力を生み出せなかったのも理由のひとつだろう。

さらに、2013年には石炭価格が急落したことで石炭バブルが崩壊した。不動産開発もストップし、急激に金回りが悪くなり、経済は衰退する一方だった。

◆工事途中で放り出されたビル群

では、現在のオルドス「カンバシ新区」はどうなっているのか。

高層マンションは工事途中のまま放置され、せっかく建てられた学校や病院も機能していない。建設途中の複合ビルには、外資系の有名ホテルやショッピングセンターのオープンが予告された看板がかけられてはいるが、その後工事が進んでいる様子はない。街そのものが破産危機にあるともいわれている。

２０１０年にアメリカの『ＴＩＭＥ』誌が「もっとも殺風景なゴーストタウン」と報じたことで、逆に中国国内の注目が集まり、その惨状を一目見物しようと観光客が集まるという皮肉な現象も起きた。

市当局は、定住化対策に力を入れているが、２０１４年後半の報道によると人口は10万人前後で、当初の計画には遠く及ばない数字である。

いつまでも完成しないドイツの新空港

◆ドイツのイメージをくつがえす案件

「陸路でしか行けない空港」と揶揄されていたドイツの国際空港に、ようやく開港のめどがついたようだ。

ドイツの首都ベルリンに開港予定のベルリン・ブランデンブルク国際空港の着工は２００６年で、当初の開港予定は２０１１年10月だった。ところが予定は延期を繰り返し、とうとう9年遅れとなってしまったのである。

◆日本との直行便も就航する予定だった

ブランデンブルク国際空港の建設計画が持ち上がったのは、1992年のことだった。東西ドイツの統合をきっかけに、旧東ベルリンにあるシェーネフェルト空港と旧西ベルリンにあるテーゲル空港の機能を併合する形で計画は進められた。

計画は現在シェーネフェルト空港で使用されている滑走路を3600メートルまで延ばし、新しく建設するターミナルビルの南側にも4000メートルの滑走路を新設するというものだ。

ターミナルビルは総床面積28万平方メートルで、大手航空会社をはじめ格安航空会社の受け入れも計画していた。

また、ベルリン中心部へのアクセス強化も売りのひとつにしている。「チェックインまで200メートル」が売り文句だという。

中心部と空港のターミナルビルを直接結ぶ高速鉄道の駅を新設し、高速道路のインターチェンジも新たに設けた。

さらに、開港をにらんで、国家をあげたセールスにも余念がなかった。

意外なことだが、日本からベルリンへの直行便は存在しない。空路でベルリンに行くにはフランクフルトかミュンヘンで飛行機を乗り継ぐという経路しかないのだ。

そこでベルリン観光局は、ブランデンブルク国際空港の完成を前に、日本からの直行便の就航を実現するとして航空各社に働きかけていたのである。

◆何度も延期される開港日

その歯車が狂い始めたのは、２０１０年の6月のことだ。防火設備の不備などが発覚し、最初の開港延期が決定された。新たに発表された開港予定は、２０１２年の6月だった。

しかし、開港日を1カ月後に控えて、再び延期が発表されたのである。この時問題になったのは、またしても防火設備の不備だった。そもそも、防火設備の設計担当者が正規の資格を持っていなかったというからお粗末な話だ。

さらに、建設を請け負った業者との間に選定をめぐる贈収賄疑惑が発覚したのである。すでにターミナルビルに入居の準備を始めていたテナントや、航空券のチケットを発売していた航空会社もあり、その混乱ぶりは目も当てられないほどだった。再び開港は延期され、今度は２０１３年の3月とされた。しかし、その後も延期は繰り返されていた。

建設中のブランデンブルグ国際空港。（2010年）

実直な国民性で何かと引き合いに出されるドイツと日本だが、２０１６年の博多駅前の道路陥没事故の際は、ドイツの大衆紙『ビルト』がトップニュースとして扱い、「作業員がわずかな日数で修復した」と称賛すると同時に、開港にこぎつけられないブランデンブルク国際空港の現状を嘆いていた。

ベルリン市民もこの度重なる不始末にあきれ顔だ。地元ドイツの地方紙には「首都ベルリンには世界でひとつしかない空港がある。それは陸路でしか行けない空港だ」と痛烈に皮肉られたこともある。

着工当初から行われている新空港の見学ツアーは、いつしかＥＵ経済の旗振り役であるドイツの失敗プロジェクトを見物しようとする観光客で賑わうようになったという。

ちなみに、このブランデンブルク国際空港は、イギリスのメディア『デイリーメール』が2014年に発表した「世界の7大無駄観光プロジェクト」のひとつに選定されるという屈辱的な栄誉にも輝いている。

空港予定地の空撮。工事が進んでいる箇所もあるが、開業までには至っていない。（2012年）

◆9年遅れで開港予定

ようやく工事が終わり、開港の予定が発表されたのは2019年11月のことだ。2020年10月、実に9年遅れで新たな国際空港が稼働することになる。

工期が延びたことで建設費も大きくかさみ、予定されていた25億ユーロが59億ユーロと膨れ上がってしまったのである。

「もはや間違った日程を話すことは許されない」と語っていた運営会社の広報からの発

表であり、さすがに再びの延期はないと考えられるが、無事に空港が稼働するかどうかドイツ国民のみならず世界の航空関係者が固唾をのんで見守っていることだろう。

官・民一体で復活を目指したイギリスの地下鉄

◆世界最古の地下鉄は問題が山積み

イギリスの首都ロンドンの地下を東西南北に網目のように走っているのがロンドン地下鉄だ。その始まりは今から150年以上も昔の1863年にさかのぼり、世界で最初の地下鉄として開業したことでも知られる。

以来、ロンドンの住民からは「アンダーグラウンド」や「チューブ」という愛称で親しまれていて、現在では毎日300万人を超える人たちが利用している。

そんなロンドン名物のひとつでもある地下鉄だが、実際の評判はというとあまり芳しいものではない。

というのも、歴史があるということは裏を返せば、古いということにもなる。ロンドン地下鉄は至るところで老朽化が進み、列車や信号システムの故障などで運行が止まってしまうことも珍しくないというよりは、それが日常茶飯事なのだ。

そのために遅延が頻繁に発生し、通勤ラッシュ時には駅への入場制限が行われることもたびたびある。ようやく乗車できても、車両がトンネルの形に合わせて半円形をしているため、車内が狭くて混雑は免れないのである。

◆官と民で組むはずが…

こうしたロンドン地下鉄の諸問題を解決するために、２００３年に導入された方式が、「ＰＰＰ」だった。

ＰＰＰとは「Public Private Partnership」の略で、「官民パートナーシップ」と訳される。文字通り、

半円形のトンネルを通過するロンドンの地下鉄車両。

「官」と「民」がパートナーとして協力して事業を行うことをいう。

これまで地下鉄の運営は、ロンドン交通庁（Transport for London、略してＴｆＬ）の傘下でロンドン地下鉄が行っていたが、財政難のために改善がなかなか進まなかった。

そこでＰＰＰを導入し、公共事業として地下鉄を運営しながら、資金の調達やインフラの整備に関しては民間企業に振り分ける方式を選択したのである。

具体的には、車両の改良や線路、駅舎、信号機、トンネルなどの改修といったネットワークのインフラ管理については、民間企業が担うことにした。

一方で、列車の運行をはじめ、信号や駅構内の管理および安全管理といった運行に関わる部門は、これまで通りＴｆＬの傘下でロンドン地下鉄が行うことにした。

こうしてインフラ部門と運行部門を分離し、一方を民間企業が担当することで無駄なく効率的に整備ができ、国からの補助金も抑制できるはずだったのだ。

◆総額１５７億ポンドの大事業

ところが、状況は期待通りには進まなかった。ＰＰＰはそのメリットを発揮することもできずに、あっという間に打ち切りになってしまったのである。

なぜかといえば、そこにはインフラ部門と運行部門の意思疎通がうまくいかなかったことや、さまざまな見通しの甘さ、コスト管理の失敗など複数の要因があった。

インフラの管理を請け負ったのは、「メトロネット」と「チューブライン」という2つのコンソーシアムのインフラ会社だった。

コンソーシアムとは複数の民間企業が参加した企業連合のことだ。

まず、ロンドン地下鉄の路線は複数あるため、メトロネットが664キロメートル、173駅を担当した。また、チューブラインが333キロメートル、100駅を担当することになった。

契約期間は30年間という長期契約で、7.5年ごとに目標と成果の見直しを行うことになっていた。総額157億ポンドをかける大事業のはずだった。

ロンドン地下鉄の混雑の様子。

◆わずか4年で経営破綻する

　しかし、ＰＰＰ導入からわずか4年しか経っていない２００７年、なんとメトロネットが経営破綻してしまったのだ。

　経営難に陥ったメトロネットは5・5億ポンドの公的資金の援助を要請したのだが、認められたのは1・2億ポンドだけで、あえなく破綻した。そのため同年、ＴｆＬが買収することになった。

　理由について、メトロネット側はＴｆＬの要望に応じるためにコストが増大したからだと主張し、ＴｆＬ側はメトロネットによるコスト管理の甘さなどが原因だとしている。

　そして、それから3年後の２０１０年には、もうひとつのコンソーシアムであるチューブラインも同じくＴｆＬに買収された。

　次期7・5年間の予算として57・5億ポンドを要請したが、見通しの甘さや見積もり費用の高さなどから44億ポンドしか認められなかったのだ。

　これにより地下鉄運賃の値上げやサービスのさらなる低下などが心配されたが、これ以上の値上げは無理と判断したＴｆＬがチューブラインを買収することにした。

こうしてロンドン地下鉄の改善策として期待を集めたＰＰＰの導入は、１期７・５年で実質的に終わりを迎えたのである。

◆ロンドンオリンピックにも影響を与える

ＰＰＰの失敗によって改修工事は遅れ、２０１２年のロンドンオリンピックの際は輸送能力の不安から在宅勤務が呼びかけられるなどの影響が出た。雇用問題によるストライキも繰り返されて、その度に市民生活は大混乱に陥っている。

一方で、利用者の不満を改善する試みも取り入れられている。ロンドンの一部路線では、２０１６年からナイトチューブと呼ばれる金曜日と土曜日の終夜運行が始まった。

また、２００９年に鳴り物入りで始まったロンドンの東西を結び、ヒースロー空港へと続くクロスレール（エリザベス線）が全線開通すれば、利便性は確実に上がるといえる。

じつは、完全開通はいよいよ２０２１年と発表されているのだが、予定通りといくかどうか注目したいものだ。

巨大コンビナート「苫東」開発の夢

◆夜景ブームに乗れなかった幻の工場地帯

2008年頃、工場の夜景が「すごい！」と騒がれ、ブームになったことがある。神奈川県の川崎臨海部は、夜になると工場群が未来都市のように闇の中に浮かび上がる。その光景を見ようと、工場夜景クルーズやバスツアーが運行されるまでになったのだ。このブームに乗って、もしかしたら日本一の集客が見込めたかもしれない場所がある。北海道の南西部に位置する苫小牧(とまこまい)市だ。

北海道の空の玄関口である新千歳空港から少し南に下ると、すぐに苫小牧市に入る。本州に向かって開かれた苫小牧港は全国港湾取扱貨物量の第4位に位置しており、物流の面でも重要な地といえる。

じつは今から約50年前、ここには世界でも類をみない臨海工業基地の建設計画が描かれていた。しかし現在、この地には巨大コンビナートはおろか、工場地帯と呼ぶにはあまりにも寂しい光景が広がっているだけである。

コンビナートの建設が予定されていた勇払平野。

◆高度経済成長にともなう需要に応える

巨大プロジェクト「苫小牧東部大規模工業基地開発基本計画（苫東開発）」が持ち上がったのは、1960年代末のことだ。

当時はまだ戦後の高度成長期が続いており、今後もまだまだ日本経済は成長し続け、1985年には工業生産規模が5倍になると予測されていた。

それに対応するためには、大規模な工場が必要になる。

だが、本州と九州にあった臨海工業地帯では大気汚染や水質汚染が深刻化していた。イタイイタイ病やぜん息なども社会問題となっていて、公害に対する反対運動が高まっていた。

その流れに逆行して新たな工場を建てるとなれば、住民からの激しい反発にあうのは目に見えている。そこで候補に挙がったのが、苫小牧市の東部に広がる1万2000ヘクタールの勇払（ゆうふつ）原野だった。

苫小牧港の周辺は開発が進んでいたが、勇払原野はほぼ手つかずのまま残っており、住民もいない土地として、うってつけの場所だったのである。

◆国・道・市が一体となって進む

北海道には、開拓時代から国の主導で開発が行われ発展してきたという、他の地域にはない特色がある。戦前には内務省に「北海道庁」、戦後には総理府に「北海道開発庁」があり、この流れは現在も国土交通省の「北海道局」へと受け継がれている。

苫東開発のプロジェクトは、北海道開発庁と北海道、苫小牧市が一体となって推進したものだ。

開発基本計画はとにかく壮大だった。広大な土地に鉄鋼、石油化学、石油精製、非鉄金属など基幹産業の巨大コンビナートと臨海工業地帯に欠かせない港を3ヵ所建造し、さらに自動車や電力会社などの工場を誘致する。

これによって80年代後半には、生産額は3兆3000億円、5万人の雇用を生み出すと予測された。

さらに苫小牧市の人口は30万人に増えると見込まれていて、宅地開発も行われることになった。まさにバラ色の計画だったのだ。

開発に先立って、まずは北海道が地域の民有地の買収に乗り出した。先行して工業用地を確保し、それを誘致した企業に分譲するという計画だったのだ。

1972年には用地の造成や分譲、管理などを一手に行う第三セクターの「苫小牧東部開発（株）」も設立された。

苫小牧港には多くの工業施設が建ち並んでいる。

◆石油危機によって開発が止まる

だが、その直後、日本の高度成長が突然ストップしてしまう。1973年の秋に第4次中東戦争が始まり、アラブ諸国が石油の輸出を停止してしまったのだ。

中東の石油に依存して経済成長を続けていた日本は、突然ピンチに陥った。

政府はマイカー利用の自粛やテレビの深夜放送の停止を呼びかけるなど、国を挙げての「省エネ」に取り組んだ。

国民もパニックになり、主婦らがスーパーに押し寄せてトイレットペーパーを買い占めるという騒動も起きた。

この時点で、苫東計画は一度見直しをはかるべきだったのかもしれない。だが、実際には当初の高度成長モデルのまま開発は続けられたのである。

すでに大手企業が苫東に工場をつくる意志を表明していたことも、後戻りできない理由のひとつだったのかもしれない。

しかし、そのほとんどが実際には用地を取得されずじまいだった。事実上、苫東計画は八方ふさがりになった。

◆開発を担う企業の経営破綻

現在、飛行機の窓から苫小牧市の東部を見下ろしてみると、のっぺりとした造成地にポツリポツリと工場らしき建物が見える。

海に近い地域には、石油の備蓄タンクと北海道電力の発電所、新千歳空港寄りの土地には自動車関連会社の工場や建設会社の資材センターなどがいくつか建ち並んでいるだけだ。

開発のために設立された苫小牧東部開発は、1998年の時点で1860億円という巨額の赤字を積み上げて経営破綻した。

苫東開発計画は何度か見直され、エレクトロニクスや航空宇宙、バイオテクノロジーなどの先進分野の工場誘致なども想定されたが、それも今の時点では〝絵に描いた餅〟の状態だ。

事業を受け継いだ新会社のホームページをのぞくと、開発の理念から企業誘致の際の助成制度まで詳しく説明されているのだが、「世界でも類を見ない臨海工業地帯」というのはまだまだ遠い夢といえそうである。

中国主導で進行中のインドネシアの高速鉄道計画

◆難航するインドネシアの高速鉄道計画

2019年9月に興味深いニュースが飛び込んできた。インドネシアの首都ジャカルタと第二の都市スラバヤを結ぶ鉄道の高速化について日本が事業を請け負うことを両国間で合意したというものだ。

じつは、インドネシアの高速鉄道には日本政府の苦い経験がある。長年温めてきた構想を受注直前に中国にさらわれてしまったのだ。

その高速鉄道はインドネシアの首都ジャカルタと商業都市であるバンドンを結ぶ予定で、その距離は約140キロメートルになる。現在は国鉄や高速道路を使って約3時間かかる道のりを、高速鉄道によって約40分で結ぼうという計画だ。

２０１６年1月にはジョコ大統領も出席して盛大な起工式が行われ、受注をめぐって日本とバトルを繰り広げた中国がすぐに着手した。高速鉄道の実現は順調に進むかに思われたのだ。

しかしその後、この鉄道建設工事の先行きが別の意味で世界各国から注目されるようになる。着工式から3週間しかたっていないのに、シンガポールのメディアが建設工事開始の見通しが立たなくなっていると報じたのだ。

鉄道模型を見学するジョコ大統領。（左）（写真提供:AFP PHOTO / AGUS SUPARTO / PRESIDENTIAL PALACE/時事）

◆日本を蹴落として受注したが…

インドネシアの高速鉄道は、日本とインドネシアが長年をかけて計画してきた。

しかし、最終的な工事受注の段階で中国が乗り出してきて、日本との熾烈（しれつ）な受注競争の末に中国が勝ち取ったものだ。

日本が負けた要因は、インドネシア政府の費用の負担にあったといわれている。高速鉄道の建設には、当然莫大な費用がかかる。日本案の事業費は約62億ドルだった。その費用を民間だけで負担するのは難しいと判断した日本は、インドネシア政府が低金利で資金の一部を負担する案を示した。

一方、中国が提案した事業費は約55億ドル。資金は、中国とインドネシアの合弁会社に中国政府系銀行が貸し付け、インドネシアが国家予算を使わずに済むというものだ。

さらに合弁会社が駅周辺の開発権利を得て再開発し、地価を上げて売りに出すことで建設費用の一部をまかなうことも計画されていた。

このようなセールスポイントがジョコ大統領に高く評価され、高速鉄道の建設は中国に任されることになったのである。

◆用地買収の難航と予想以上の高コスト

ところが、いざ実際に工事に入るとさまざまな問題が表面化してきた。

まず、ネックとなったのが用地買収だ。鉄道を走らせるためには、まず線路や駅の建設といったインフラが必要となる。

ジャワ島の高速鉄道の着工式典会場の周辺にはのどかな風景が広がっている。（写真提供:共同）

しかし、地主が提示する買い取り価格が予定価格の数倍にもふくれ上がり、売買交渉が進まないのだ。

さらに、ジャカルタ側の始発駅のターミナル建設予定地が、空軍が管理する空港にかかっていて、国防上の理由から明け渡しの許可が出ていないのである。中国が描いた計画が、いきなり頓挫してしまったのだ。

さらに、資金の調達面にも暗雲が垂れ込めてきた。

当初、建設資金の75パーセントを融資するとしていた中国政府系の国家開発銀行が、用地の許認可が下りないことなどを不安視してか、正式な融資決定の意志を示さなかったのだ。

ほかにも書類の不備が発覚するなど、中国側の採算の甘さやずさんな計画が次々と露呈してきた。その結果、盛大な起工式をしたあとも工事がなかなか進まないという状況が生まれたのである。

◆日本と中国が火花を散らす高速鉄道外交

ジャカルターバンドン間の高速鉄道は、2018年半ばになりようやく着工というニュースが流れたものの開業は2024年頃になりそうだと見られている。

2019年4月に行われたインドネシア大統領選挙でジョコ大統領が再選を果たし、5年の任期の中で何としても完成させたいところだというのだが、先はまだ見えないままだ。

つまり、2019年9月に日本が受注したジャカルタースラバヤ間の高速鉄道事業は、政府にとってはかつての苦い記憶を払しょくするためのリベンジであり、ほぼ同時期に進められることになった中国によるジャカルターバンドン間の高速鉄道には負けられない案件なのだ。

日本にとっても中国にとっても、減速する国内経済をカバーするために高速鉄道の海外輸出は重要な国家戦略のひとつである。

アジアなど世界各国で今後も建設が予定される高速鉄道だが、中国のように低コストを売りにして受注を勝ち取らなければならないのだろうか。国家の威信をかけた高速鉄道外交は今後も激しい火花を散らすことになりそうだ。

2章 国家の命運を左右するビッグプラン

幻に終わった「大和」級の戦艦建造計画

◆4隻の大型戦艦建造計画

歴史に〝タラレバ〟は禁物だが、もしも武器の破壊力の差だけで戦争の勝敗が決まっていたなら、日本は太平洋戦争に勝利していたかもしれない。

戦艦マニアでなくとも、「戦艦大和」の名は誰もが耳にしたことがあるはずだ。映画や小説の題材としても何度も取り上げられた伝説の戦艦である。その大和は9門の超ド級の主砲を搭載していた。46センチメートルという大型の砲弾を発射する「46センチ砲」は、アメリカやイギリスの戦艦の40センチ砲を上回る、世界最大のものだった。

じつは日本海軍は対米戦の切り札として、この大和型の大型戦艦を4隻、建造する極秘計画を立てていたのだ。自慢の主砲は40キロメートル超という驚くべき射程距離を誇り、黒雲のように立ち上る砲煙、そして艦の周囲の海面を波立たせたという爆風――。いずれもがすさまじい破壊力を物語るはずだった。ところが、日本の秘密兵器として期待された4隻の戦艦は、日本に悲願の逆転勝利をもたらすことはなかった。

それればかりかそのうちの2隻は、建造の途中で中止命令が下され、文字通り〝幻の艦〟になったのである。

海上公試中の大和。全長は263メートルにもなった。
（写真提供:大和ミュージアム）

◆最優先されたのは「大和」

第1次世界大戦で戦勝国となった連合国のアメリカ、イギリス、フランス、イタリア、そして日本の5ヵ国は、加熱する戦艦の建造競争を抑えるべく「ワシントン海軍軍縮条約」を採択する。

これは、建造する戦艦などのサイズや保有数を厳しく制限するものだった。

ところが、１９３０年代に入って国際関係に再び緊張が走るなかでこの条約は失効してしまう。日本は各国が新型戦艦を配備することを見越して、「Ａ－１４０」という極秘計画を立てる。そして、秘密兵器となる新型戦艦の建造を急いだ。

そうはいっても、艦の大きさでまともに勝負を挑んでは国力に勝るアメリカやイギリスにはとうてい太刀打ちできない。

そこで海軍は艦の最大の武器である主砲を強化し、どの国にも負けないサイズの巨大な46センチ砲を新型戦艦に載せる計画を立てたのである。

大和型戦艦の1番艦は広島の呉海軍工廠で最重要機密として建造が始まり、およそ4年の歳月をかけて完成した。

続く3隻も2番艦「武蔵」が長崎、のちに「信濃」と名づけられる3番艦が横須賀、そして4番艦が大和と同じ呉で相次いで建造が始まっていた。

しかし、とにかく前例のない規模の新兵器である。

まずはエースである1番艦の大和の完成が軍部にとっての最優先事項だった。

そのため人員も資材も大和が優先され、残りの艦の作業は後ろ倒しにならざるを得なかった。

米軍の魚雷を回避する武蔵（中央）。後にこのシブヤン海に没した。右に見えるのは駆逐艦「沖波」。

◆3・4番艦の建造は中止になる

ところが、日本を勝利に導くはずの秘密兵器を待っていたのは皮肉な現実だった。

大和型戦艦が持てる力を遺憾なく発揮できるはずの艦隊決戦、つまり船同士の戦いはすでに時代遅れとなっており、海戦の花形はすでに戦闘機、そして戦闘機を搭載する空母になっていたのである。

大和の主砲がようやく火を噴いたのは就役から3年後のフィリピンでのレイテ沖海戦だった。ところが、その戦いで大和とともに出撃した2番艦の武蔵は米軍機の攻撃により撃沈されてしまう。

そのうえ、各地の造船所でも中型の戦闘艦の建造や、被害を受けた既存の艦の修理が優先となり、戦局の悪化もあって3番艦、4番艦の建造はあえなく中止になった。

◆空母になった3番艦と解体された4番艦

しばらくすると、建造中止の命が下されていたはずの3番艦が再度注目される。

1942年6月、北太平洋のミッドウェー島沖で繰り広げられたミッドウェー海戦で「赤城」や「加賀」など4隻の空母を一度に失っていた日本は、苦肉の策として未完成だった3番艦に目をつけ、これを大型の空母へと改造したのだ。

建造は横須賀で再開し、その装甲板には4番艦の一部が再利用されたというまさに突貫工事だった。

その空母信濃がかろうじて形になったのは、1944年11月のことだった。

ところが、待ち望まれてようやく完成した信濃は一度も実戦に投入されることはなかった。

一機の戦闘機を飛び立たせることもないまま、竣工からわずか10日後に米潜水艦アーチャーフィッシュの魚雷を浴びて和歌山県沖に沈没してしまったのだ。

それでも、3番艦は海に出ることができたのだからまだいいほうだったのかもしれない。最後まで名前すらつけられることがなかった4番艦は結局解体され、その艦底は呉工廠の浮き桟橋の代用として使われていたのである。

◆大和も沈没する

一方、1番艦の大和は壮絶な最期を遂げる。

1945年4月、大和は沖縄に上陸したアメリカ軍を撃滅するため瀬戸内海を出撃したが、鹿児島県枕崎沖の坊ノ岬で米軍機の大編隊に襲われてしまう。

空からの激しい爆撃で蜂の巣にされ、最終的に9発もの魚雷を受けた大和は沈没し、海中で大爆発を起こして海の藻屑となったのだ。

およそ3300人の乗員のうち生き残った者はわずかに1割しかいなかった。

ちなみに、大和以下4隻の存在は極秘扱いだったため、国民にその存在が知られるようになったのは戦後になってからだったという。

満州にユダヤ人国家を樹立しようとした「フグ計画」

◆日本人が計画したユダヤ国家の建設

第2次世界大戦中、1000人以上のユダヤ人にビザを発給し、多くの命を救った杉原千畝（ちうね）という外交官がいたことはよく知られているところだ。

その杉原と同じ時期に、日本人がアジアにユダヤ人国家を建設しようという計画があった。1934年に立ち上がったそれは、「フグ計画」という。

ユダヤ人の迫害というと、第2次世界大戦中のナチスによる大量虐殺を思い浮かべる人も多いだろう。だが、ユダヤ人はそれ以前からヨーロッパや中東で迫害されていた。

西暦66年に起きたユダヤ戦争でローマ帝国に負けたことで、ユダヤ人はヨーロッパ各地に離散した。その後フランス、オーストリア、ロシアなどで追放や虐殺が行われてきたのだ。日本人がそんなユダヤ人の存在を知ったのは、明治維新以降のことだ。

そんな日本人が、なぜユダヤ人国家を建設しようとしたのだろうか。

◆ロシアとのクッションとしての満州

ことの発端は日露戦争にある。

ロシアの南下を食い止めるための戦いである日露戦争に勝利した日本は、ロシアが権益を持っていた中国北東部の満州を手に入れた。

日本としては、ここに親日の独立国家をつくって緩衝地帯にすることで、ロシアとの直接的な衝突を避けようと考えていたのだ。

しかもその後ロシア革命が起きて、共産主義国のソビエト連邦が誕生する。

この共産主義勢力が日本に流れ込んでくるのを食い止めるためにも、早期に満州を開発して国家をつくらなければならなかった。

しかし、国をつくるには膨大な資金が必要だ。そこで、ひとりの人物がある提案をした。ヨーロッパで行き場をなくしているユダヤ人を満州に集め、国家をつくろうというのだ。

その人物とは、海軍きってのユダヤ人研究家ともいわれた犬塚惟重（これしげ）だった。

◆ユダヤマネーに助けられた日本

当時の日本では、ユダヤ人とはアメリカの経済界を支配していて、政財界にも影響力を持つ金持ちというイメージが定着していた。

というのも、日本はアメリカの銀行家であるジェイコブ・シフというユダヤ人の資金援助のおかげで日露戦争に勝利することができたからだ。

欧米の国々は、日本とロシアが戦えば、間違いなく軍事大国のロシアが勝つだろうと見ていた。そのため、日本に資金を提供する人物はほとんどいなかった。

当時の日銀副総裁の高橋是清（これきよ）が戦費調達のためにアメリカとイギリスに派遣されたが、ニューヨークの銀行ではまったく相手にされなかった。ロンドンではようやく５００万ポンドをかき集めたものの、それは目標額の半分でしかなかった。

帰国予定日まであと数日となったある日、高橋はロンドンで銀行家が集まるディナー

日本に資金を提供したジェイコブ・シフ（左）と、フグ計画の提案者である犬塚惟重（右）。

に出席した。その時に、たまたま隣に居合わせたシフにこれまでの経緯を話したところ、翌日シフから500万ポンドの公債を引き受けるとの申し出があったのだ。

その資金をもとに、日本は大国ロシアに勝つことができたのである。このことは、日本でも大きく取り上げられ、シフは日本の救世主として戦前の教科書でも紹介されている。

◆フグを料理するような危険な計画

だが、犬塚にとってのユダヤ人のイメージは、ただの親切な金持ちではなかった。犬塚は1908年にシベリアに出兵した際、ユダヤ人のある計画が記された文書を目にしていたのだ。

それは、祖国を持たないユダヤ人が陰謀を巡らせているという内容だった。世界を制覇するために、水面下で秘密計画を進めているというものだ。

じつは、これはロシアの秘密警察によってねつ造された文書だったが、犬塚をはじめとする日本兵はそのまま信じた。

そして犬塚のなかでは、とんでもない野望と資金力を持った民族というイメージが形づくられた。

犬塚はユダヤ人研究家の会合でフグ計画についてこう述べている。

「ユダヤ人のエネルギーを日本のために利用することができれば、味も栄養もたっぷりのごちそうになる。だが、やり方を誤れば日本の破滅につながりかねない」

満州にユダヤ人国家をつくるという計画は、まさにフグを料理するような危険なものだったのだ。

◆ドイツとの接近で計画は中止になる

フグ計画にはもうひとつの思惑があった。それは、当時のアメリカ大統領ルーズベルトの反日感情を抑え込むことだった。

みずからも満州を狙っていたアメリカは、日露戦争後、共同で満州を経営しようと持ちかけたのだが、日本側がこれを断ったため、日米関係は悪化の一途をたどっていたのだ。だから、フグ計画の推進者らは、アメリカの政財界に影響力があるユダヤ人の同胞に楽園を提供することでルーズベルトの日本を敵視する政策を変えさせたかったのだ。

だが、日本政府はしだいにナチスドイツとの結びつきを深め、１９４１年にアメリカとの和平交渉が決裂すると、ついに太平洋戦争に突入する。これによってフグ計画は完全に破綻してしまった。

ナチスは彼らの処遇について虐殺するか、強制労働に就かせるか、さもなければ人体実験の材料にするかと提案してきた。

その提案を飲むことはできなかった日本側は、上海につくったゲットーにユダヤ人を送り込み、終戦が来るまで彼らをそこに閉じ込めておいた。

そして、フグ計画は正式に無効となり、ユダヤ人への支援も打ち切られたのである。

ソ連崩壊のきっかけになった宇宙開発「ブラン計画」

◆いまも残るロケットの格納庫

ユーラシア大陸の中央部にあるカザフスタンは、旧ソ連国のひとつだ。

この国にはバイコヌール宇宙基地という、現在もなおロシア連邦宇宙局が管理しているロケット発射場がある。

この基地が完成したのは1955年、旧ソ連時代のことだ。

カザフスタンはソ連崩壊後に独立したため、今はロシアがカザフスタンから基地を借りており、ロシアの有人宇宙船ソユーズもここから打ち上げられている。

そのリース料は年間1億5000万ドル、日本円にして約165億円にも上る。

基地は広大で、約5000平方キロメートルという面積は福岡県とほぼ同じだ。そのだだっ広い草原の中にある基地に、ひときわ目立つ巨大な建物がある。

高さ62メートル、幅は132メートルもあるその巨大な建物の正体は格納庫だ。

そして、その中にはソ連の崩壊によって消滅してしまった「ブラン計画」の遺骸が残されている。

バイコヌール宇宙基地。

◆冷戦時代のアメリカとの開発戦争

ブラン計画とは、ソ連がアメリカのスペースシャトル計画に対抗して進めた宇宙開発計画のひとつだ。

第2次世界大戦後、ソ連とアメリカという2つの超大国が激しく対立した冷戦時代は、両国が国家の威信をかけて宇宙開発に巨費を投じていた。

1957年にソ連が人工衛星スプートニク1号を打ち上げて軌道に乗せることに成功すると、そのニュースに焦ったアメリカは急きょ衛星を打ち上げたが、ロケットが爆発して失敗している。

動揺するライバルを尻目に、ソ連は続いて犬を乗せたスプートニク2号を打ち上げた。有人宇宙飛行の実現に向けて、ソ連が一歩も二歩もリードした形となったのである。

そして翌年、ようやくアメリカは初の人工衛星エクスプローラー1号の打ち上げに成功するのだ。

こうして宇宙開発競争が過熱するなか、1972年にアメリカで再使用型の宇宙往還機スペースシャトル計画に着手することが決定した。

◆研究者たちの猛反対を無視して計画推進

何度も地球と宇宙を往復することができる宇宙船をつくることで、アメリカはロケットの製造にかかる費用を削減し、宇宙空間での実験などにも役立てる計画だった。

しかしソ連国内では、スペースシャトルの本当の目的は人工衛星を破壊したり捕らえたりすることではないか、また宇宙から核ミサイルが放たれるのではないかなどの憶測が広がった。

そして、アメリカに対抗するためにはソ連にも再使用できる自前の宇宙船が必要だとしてブラン計画がスタートしたのだ。

だが、この決定はソ連の宇宙開発研究者らから猛反対された。なぜなら当時、ソ連では金星探査機の着陸に成功していて、世界の宇宙関係者から熱い注目を集めていたからだ。

それでもアメリカの脅威をぬぐえない政府はブラン計画を推進した。

開発にかかわった専門家や技術者、労働者は多い時には15万人を超えたが、工場で働いていた労働者には計画は知らされておらず、いったい何をつくっているのかさえわからない状態だったという。

◆アメリカにコピーだと非難される

国内でも秘密裏に進められていたブラン計画が、アメリカをはじめとする西側諸国に知られることになったのは1982年のことだった。

オーストラリアの偵察機が、インド洋上でソ連の艦船が実験用の小型宇宙船を回収しているのを写真でとらえ、公開したのだ。

倉庫に格納されたブランとエネルギア。

それはすぐさま、スペースシャトルのコピーだと非難されることになった。それほど「ブラン」の外観がスペースシャトルに似ていたのだ。

ただ、打ち上げシステムはソ連独自のものだった。スペースシャトルは宇宙船本体に推進用の大きなエンジンを積んでいるが、ブランは装備していない。

ブランは大型ロケット「エネルギア」で軌道まで運ばれ、分離して地球の軌道に入る。その分軽いので、より多くの荷物を宇宙まで運ぶことができるのだ。

また、完全なコンピューター制御で自動操縦することができる点も、ブランとスペースシャトルとの大きな違いだった。

実際、1988年の初飛行では206分間、無人で地球の軌道を2周し、バイコヌール宇宙基地の滑走路への自動着陸にも成功している。

ブランの有人飛行は1992年に予定されていた。その間にも2号機、3号機といった派生モデルの製造が進められていった。

だが、1991年にソ連が崩壊すると、資金不足などからエリツィン大統領が一連の計画をすべて中止にする。

そして有人飛行を待っていたブランは、ただ一度きりの任務を果たしただけでバイコヌール宇宙基地の格納庫にひっそりと保管されたのである。

◆再登場するかもしれない？

じつは、ロシア政府にはブランを復帰させる計画があり、旅客機としての運用も視野に入れていたようだ。

2001年頃にもバイコヌール宇宙基地の打ち上げオペレーションの責任者が、「この計画には未来がある」と、ブラン計画が復帰する可能性があることを明らかにしていた。

2013年には当時のロゴジン副首相が「遅かれ早かれ時代を先取りしたブランのような計画に立ち戻らざるを得ない」と述べるなど、復活の可能性はまだまだ残されているのである。

数千万人の餓死者を出した毛沢東の「大躍進政策」

◆権力の座についた毛沢東の野望

毛沢東は、共産党軍を率いて革命を起こし、1949年に中華人民共和国を建国して以降、死去するまで絶大な権力を振るった指導者である。

政権の座に就いてから10年後の1958年、彼は「大躍進政策」と名づけたプロジェクトを立ち上げた。

この時代、中国の主な産業は農業だったが、工業にも力を入れて経済をさらに発展させようと考えたのだ。

毛沢東が目標にしたのはイギリスだった。当時、イギリスは工業大国として知られ、鉄鋼の生産量で世界3位の地位を誇っていた。

そのイギリスに15年で追いつき、さらには追い越すことが大躍進のスローガンだった。

一国のリーダーが、自分の国を繁栄させたいと願うのは当たり前だ。先進国に追いつけ追い越せという意気込みは、国民に活力を与えるためでもあった。

ただ、大躍進は最初から問題が多かったといえる。

◆ソ連の発言が闘争心に火をつけた

その頃、中国における鉄鋼の生産量は年間で1000万トン程度だった。それを一気に2億7000万トンまで増やすことになった。つまり、1年で生産量を27倍にするという途方もない目標を掲げたのである。

ところでなぜ、毛沢東はこれほど壮大な計画を打ち出したのだろうか。その背景には、ソ連に対するライバル心が絡んでいた。

直接のきっかけは、1957年に行われた当時のソ連最高指導者フルシチョフとの首脳会談だ。

この時、フルシチョフは「これから15年の間に、ソ連は主要な生産物の生産量でアメリカを上回るだろう」と胸を張ってみせた。

これが毛沢東の闘争心に火をつけた。凡人のフルシチョフより自分のほうが共産圏を率いるトップにふさわしいと考えていたからだ。

ここで中国も底力を見せなければ、ライバルに負けてしまうと思ったのだろう。すかさず、「中国も鉄鋼の生産量では、15年以内にイギリスを追い抜くだろう」とやり返したのである。

もともと存在した計画ではなかったが、この発言は毛沢東自身を奮い立たせ、本気で工業大国を目指す決意をするに至る。

こうして大躍進は始まったのだ。

◆虚偽の報告によって食糧が不足する

第一段階として取りかかったのは穀物の増産だった。

鉄鋼を大量に生産するためには、国民の大半を占める農民を生産に参加させる必要が

毛沢東を称えるポスター（左）と水稲の収穫を誇る1958年の新聞（右）。（引用元：ともに楊継縄著『毛沢東 大躍進秘録』文藝春秋）

ある。

そこで、彼らが農地を離れても大丈夫なほど食糧を蓄えておけば、鉄鋼に専念できると考えたのだ。

そのため、この時政府は収穫量を従来の2倍に増やすよう命じている。

だが、穀物は人間の思惑通りに育ってくれるものではない。実際に収穫できた量は目標にはほど遠かった。

収穫物は各地方に置かれた人民公社を通して、生産高に応じて決められた割当量を政府に納めることになっていた。

もしも正確な数字が伝わっていたら、その後の悲劇は起こらなかったかもしれない。しかし、目標を達成できなかったことに対する処罰を恐れ、人民公社はみな生産量が倍増したと報告したの

当初、人民公社は公共食堂をつくり食事を無料で提供していたが、食糧事情の悪化により方針を転換した。写真は人民公社の成功を喧伝するプロパガンダ画像。

だ。

報告を鵜呑みにした政府は割当量も2倍にした。そうなると、いまさらあれは水増しでしたと白状するわけにもいかず、本来は農民たちが食べる分まで納めるハメになってしまったのだ。

◆数千万の餓死者が出る

食糧不足の深刻な実態が知らされないまま、計画は第2段階に入った。いよいよ本格的に鉄鋼の生産を開始したのだ。

多くの農民が鉄鋼生産に駆り出され、へとへとになるまで働いた。田畑は荒れ果て、農作物の収穫量がさらに減るのは明らかだった。

そうして、１９５９年の夏頃からしだいに食糧が底をつき始めた。ただでさえ蓄えが少ないところにもってきて、新たな作物を育てる人間もいないのだから当然だろう。

この年から61年にかけて、中国はかつてないほどの大飢饉に見舞われた。人々は木の根でも雑草でも、食べられそうなものは手当たりしだい何でも口にした。なかには家の漆喰まで食べた者もいたという。一日中、何も食べられない日も少なくなかったのだ。

すさまじい飢えが次々と民衆の命を奪っていった。正確な人数はわかっていないものの、餓死者は３０００万人とも４５００万人とも伝えられている。

ところで、肝心の鉄鋼はどうなったかというと、一級品はごくわずかしかなく、ほとんどが二級品や三級品、あるいは不良品だった。

鉄鋼の生産量にもノルマがあったため、とにかく量をクリアすることだけを優先し、粗悪な素材を使ったり手抜きをしたりしたケースも多かったようだ。

工業大国に躍り出るはずだった毛沢東の計画は、数千万人の餓死者を生み出すだけの結果に終わったのである。

人口をコントロールしようとした中国の一人っ子政策

◆食糧難を解決するための政策

中国といえば広大な国土に膨大な人口を抱える国というイメージがある。2019年末で総人口が14億5千万人を超えた隣国では、日本のような少子高齢化などまったく縁がなさそうにも思えるが、じつはとある政策がもたらしたダメージによって確実に出生率が減少しているのだ。

その政策こそが有名な「一人っ子政策」である。膨れ上がる人口をセーブするために国が打ち出した政策で、1979年に導入されて2016年に廃止されるまで、中国では子どもを2人以上持つことは処罰の対象になっていた。

一人っ子政策が導入された当時、社会が安定してきた中国では人口が爆発的に増加するのではないかという懸念があった。それまでの政治闘争による食糧難もあり、中国政府はこのままでは全国民を食べさせることが難しくなり、また経済成長も困難になると考えた。

そこで、政府主導で人為的に人口を減少させようと施行したのが、一人っ子政策だったのである。

男の子を連れた北京の親子。

◆子供が多いと罰金が科せられる

一人っ子政策の導入後、中国では2人目の子供を出産すると、罰金や職場を解雇されるなど厳しい処罰が行われてきた。

たとえば、『紅いコーリャン』などの名作で知られる中国映画界の巨匠・張芸謀（チャン・イーモウ）監督が、2014年に3人の子供がいることの違反金として1億円を超える金額を支払うように命じられている。

これは「社会養育費」といわれる事実上の罰金で、子供を多く産むと社会に負担をかけることになるから、産んだ分の扶養費を余計に納めなくてはならないという理屈に基づいたものだ。

金額は収入などに応じて決定され、支払いを命じる通知を受け取ると30日以内に全額を納めなければならない。

もし従わない場合には、計画出産当局が強制執行を裁判所に申し立てることもできるという。

◆戸籍のない「闇っ子」

こうした厳しい処罰や当局の監視があったことで、人口の爆発的増加にはいったんブレーキがかかったが、不自然な計画出産は中国にさまざまな社会問題を引き起こしてきた。そのひとつが「闇っ子」の存在だ。

闇っ子とは、戸籍のない子供のことである。

2人目や3人目を出産して戸籍登録すると前述したように罰金を支払わなくてはいけ

なくなるが、場合によっては年収相当にもなるほどの罰金を支払える人は少ない。

そこで、2人目以降は出産したことを届け出ずに育てる夫婦が後を絶たなかったのだ。2011年の時点で中国政府が発表した闇っ子は、なんと1300万人にものぼる。

彼らは戸籍がないので学校にも行けず、医療保険などの社会保障も受けられない。成長しても、企業や雇い主が役所に目をつけられるのを恐れるため、まともな職につけない。

たとえ真剣に交際している相手がいたとしても、戸籍がないので将来正式に結婚することすら難しいのである。

◆男女のバランスが崩れる

一人っ子政策は、男女の比率をアンバランスにするという社会問題も生み出した。

中国では働き手として男の子を好む傾向がある。そのため、妊娠中に女の子だと判明すれば周囲から強制的に中絶させられることも多く、仮に産まれたとしても女の子はすぐに水につけるなどして闇に葬り去られるケースも少なくなかったという。

反対に男の子は誘拐される事件が頻発し、働き手を欲しがっている農家などに高額で売り飛ばされる人身売買も深刻化している。

２０１６年末時点での男女比は、女を１００とすると男が１０４・98で、人口では男のほうが女より約３３６０万人も多い。不自然な男余り現象が起きているのだ。

◆少子高齢化で政策を緩和する

また、一人っ子政策は結果として急速な少子高齢化を招いた。医療技術の進歩で高齢者の寿命が延びる一方で、働き盛り世代の若い人口が極端に少なくなってしまったのである。

老後の面倒は国でみるから子供の数を制限しろと指導してきたにもかかわらず、一人っ子政策

「女の子を虐待したり捨てたりするのは禁止」と書かれた看板。当時は労働力となる男の子が好まれた。

が社会保障制度をひっ迫させる事態になっているわけだ。

中国政府は、一人っ子政策のおかげで中国の総人口は当初の予想に比べて4億人以上も少なくなり、その分の巨額な扶養費など社会の負担が軽くなったと主張している。だが、それ以上に浮き彫りになってきたこれらの社会問題は、これから中国経済が失速する大きな要因にもなっていく。

そのため中国政府は一人っ子政策を徐々に緩和せざるを得なくなっていた。たとえば、少数民族には例外として2人目以降を許すとか、農村部では1人目が女の子の場合は2人目を許すなどしてきた。さらに、2013年以降は夫婦のうちのどちらかが一人っ子なら2人目を許すという措置もとられた。

しかし、それでも社会の歪みは深刻さを増し、ついに2016年1月、一人っ子政策は廃止された。これにより、すべての夫婦が2人の子供を持てるようになったのだ。試算では9000万組の夫婦が2人目をもうけることができるようになったというが、中国政府の当初の予測に比べて、実際には思ったより出生率は伸びていないようだ。

経済的・精神的な負担を考えて、政府が許可をしても2人目を望まない夫婦も多いという。2019年に生まれた子どもの数は1465万人で、前年より58万人少なく3年連続の減少となった。長年続いた一人っ子政策による歪みは、今後も中国の先行きに暗い影を落としそうだ。

小さな島国ナウルに住む国民全員の移住計画

◆国民全員が移住を余儀なくされる

南太平洋には、近年の地球温暖化が原因とされる海面上昇によって、国家の消滅危機に陥っている国がある。平均海抜が2メートルほどしかないキリバスやツバルなどである。

これらの国では、将来的に全島民がほかの国に移住するプランがあり、それがいよいよ現実のものとなりつつある。キリバスの西に浮かぶ小さな島国のナウル共和国も、オーストラリアから全島民の移住を持ちかけられたことがある。

だが、ナウルの場合はほかの国とは少し事情が違っていた。

海面上昇による島の消失ではなく、経済が成り立たなくなったことが原因で、移住を余儀なくされたのだ。

ナウル島沿岸の町並み。

◆植民地争奪戦に巻き込まれる

東京都港区の面積ほどしかない小さなナウル島は、赤道から約40キロメートル南下したところにある。

この小さな島で、先住民のミクロネシア人とメラネシア人は漁業と農業を営み、自給自足の生活を送っていた。ところが、19世紀になると欧米強国による植民地争奪戦に巻き込まれてしまう。ナウルは最初ドイツに統治され、第1次世界大戦後にはイギリスとオーストラリア、ニュージーランドに共同統治されることになった。

なぜ、この小さな島を列強が欲しがったのか。それは、島にお宝があったからだ。というより、むしろ島そのものが宝の山だったといっていい。島はサンゴ礁の上にアホウドリのフンが蓄積し、石灰分が結合してできていて、島自体がリン鉱石の塊だったのだ。

◆資源とひきかえの島民の移住案

リンには作物の成長をうながす働きがあるため、農作物の肥料として欠かせない。そのため、欧米列強はリンを手に入れるために太平洋のさまざまな無人島を調査し、リンがあれば枯渇するまで採掘してきた。その手がついにナウルに伸びてきたのだ。

やがてナウルは第2次世界大戦が始まると日本軍の占領を受け、戦争が終わると今度はアメリカに占領されるという過酷な運命をたどった。

そしてその後、ナウルが自立するまでオーストラリアが保護することになったのだ。

そんななか、ナウルを独立国家にしようと声を上げた島民がいた。ナウル出身者ではじめてオーストラリアに留学したハマー・デロバートだ。

戦後数年で、ナウルのリンの採掘量は年間100万トン近くまでに増えていたが、島に入るお金はわずかで、ほとんどをオーストラリアに吸い上げられていたのだ。

デロバートにその不公平さを指摘されたオーストラリア政府は、権益を手放したくなかったためにひとつの提案をした。

その頃にはリンの採掘によって島のほとんどが不毛地帯になってしまっていたため、全島民に新たに生活できる別の土地を提供すると申し出たのだ。

「全島民移住計画」である。

◆資源を売ったお金でぜいたくざんまい

そこで白羽の矢が立ったのがクイーンズランド州にある無人島、カーティス島だ。

この島は当時、私有地になっていたが、オーストラリア政府が国有化してインフラや住居などを整備する計画だった。もちろん、その全費用も負担する。

だが、デロバートはこれを拒否した。ナウル島の復興と比べると、移住費用があまりにも安かったことと、カーティス島に移住すればオーストラリア国民になることになり、民族固有のアイデンティティが失われるというのがその理由だった。

こうして移住計画は白紙に戻され、リンの採掘から得られる利益をナウルに分配することで合意した。

そして１９６６年にナウル共和国として独立を果たすと、リン鉱山採掘ビジネスはナウルに完全譲渡されたのである。

１９７０年代末にはリンの生産量は年間１５０～２００万トンに達し、それを輸出するだけで国の予算は十分に賄われた。だから、国民は税金をいっさい払わなくていいし、教育や医療もタダ、国民には無条件に年金が配られるので働く必要もない。

リン鉱山で働いているのはキリバスなどから来た労働者で、ナウルの人々は日がな一日狭い島の中を大型の四駆車でドライブしたり、飛行機でオーストラリアに行って買い物三昧したりと娯楽に明け暮れた。

◆資源が枯渇し投資に失敗する

しかし、天然資源はやがて枯渇する。リン鉱石の産出量は90年代になると減少し、21世紀のはじめにはなくなってしまうだろうと予測されていた。

そこで初代大統領になったデロバートは、リン鉱石の利益を投資に回すことを考えた。オーストラリアに巨大ビルを建設し、ハワイやアメリカにも不動産を購入してリン鉱石マネーを活かそうとしたのだ。

リン鉱石採掘労働者住宅は、現在アフガニスタン難民の収容施設として利用されている。（写真提供:AFP＝時事）

だが、投資はことごとく失敗し、島には巨額の借金だけが残った。こうして完全に破綻国家となったナウルを救済したのは、やはりオーストラリアだった。今では、年間3000万オーストラリアドルと引き換えに、島はオーストラリアに入国した難民の野外収容所と化している。

難民キャンプでは虐待が日常的に行われたり、国際医療チームを締めだして医療行為を受けさせないという劣悪な状況で、これを放置するオーストラリア政府にもナウル政府にも国際的な非難の声が上がっている。

それでも労せずして外貨を得る方法として、この状況に甘んじているのがナウル共和国の現状なのである。

資源依存からの脱却を目指したエクアドルの挑戦

◆資源に手をつけないという選択

南米大陸の北西部にあるエクアドルで、2007年、大統領がある計画を発表して国際社会に一石を投じたと話題になった。その計画とは「ヤスニITTイニシアティブ」で、おもに資源に依存して発展を遂げてきた国々への挑戦状ともいえる内容だった。

エクアドル北西部にはアマゾンがあり、そこに3つの油田を有するヤスニ地区がある。ここには推定8億4600万バレルの石油が眠っており、採掘すれば外貨収入の6割を石油の輸出に頼っているエクアドルにとっては大きな収入源になる。

しかし、その油田を開発することを永久に放棄し、アマゾンの熱帯雨林を守ることを国際社会に約束するというのだ。

ただし、それには条件がある。未来永劫、油田に手をつけない代わりに、この地区で石油を採掘した場合に見込まれる収益の半分にあたる35億円を国際社会に負担してもらいたいというのだ。

なぜなら、先進国はこれまで途上国の環境破壊という犠牲のもとに、社会や経済を発展させて豊かな生活を手に入れてきたが、それによって地球温暖化の問題が起きている。

その代償としてアマゾンを守るための負担を国際社会に求めたいという、それまでにない新たな試みだったのだ。

国連持続可能開発会議でヤスニITTイニシアティブについて発言するコレア大統領。（中央）

◆アマゾンの資源を採掘する人々

南米大陸の北西に位置するエクアドルは多様性に富んだ国だ。

面積が日本の3分の2と小さな国でありながら、国土の南北をアンデス山脈が走り、東西には赤道が横切っている。

そのため気候もさまざまで、「永遠の春」と呼ばれる年間を通して涼しい山岳地域もあれば、熱帯雨林のアマゾン地域もある。希少生物の生息地であるガラパゴス諸島もエクアドルの一部だ。

そして、問題のヤスニ地区はオリエンテと呼ばれるアマゾン地域の一角にある。アマゾンというと手つかずの自然が残るジャングルを思い浮かべる人も多いだろう。だが、実際には開発という名のもとで外国人に荒らされてきた歴史がある。

エクアドルは16世紀初頭から約300年間、スペイン人によって植民地化された。征服者はオリエンテにも入り、自然とともに暮らしてきた先住民やそれまで育まれてきた文化を破壊している。そして、19世紀後半にはゴムブームでも荒らされた。

アメリカの発明家グッドイヤーが、ゴムの木から採れる樹液を硫化処理すると弾力が得られることを発見し、次いでダンロップがタイヤを発明すると、その原料となるゴムに注目が集まり、ゴム商人がこぞってオリエンテに押し寄せたのだ。

静かに暮らしていた先住民は、強制的に過酷なゴムの採取に駆り出されたのである。

やがて20世紀に入ってゴムブームが終息すると、ようやく静かな生活が戻ったのもつかの間、今度は石油の探索のために欧米人がやってくるのだ。

◆「アマゾンのチェルノブイリ」と呼ばれる

世界で石油が掘削され始めたのは19世紀後半のことで、アメリカの掘削技術が世界中に広がって石油の時代が幕を開けた。

エクアドルのアマゾンにも１９３７年以降、石油メジャーのロイヤル・ダッチ・シェル社とエッソ・スタンダード社が進出してきた。そして、オリエンテのほぼ全域の採掘権を獲得すると、油田の探索に乗り出したのだ。

しかし、油田を見つけることはできず、開発は放棄される。

ところが、１９６３年になって隣国のコロンビアで油田が発見されると、再びエクアドルでも油田探索に火がついたのである。

そして、ついにオリエンテ北部のラゴ・アグリオ油田が発見され、石油開発は国家主導で行われることになったのだ。

しかし、アマゾンで石油が出たと聞いて石油メジャーが黙っているはずもない。

80年代になると多国籍企業が再び参入して、積極的に油田開発が行われるようになるのだ。こうしてオリエントは一大油田地帯になり、国は外貨で潤った。

だが、その一方で、とてつもない代償を払わなくてはならなくなった。アマゾンの熱帯雨林に大量の原油が流出してしまったのだ。

しかも、シェブロン社などの開発者がそれを放置したため、水源や土壌が汚染され、油まみれの泥沼が残ったままになっている。住民には健康被害も出ている。

その汚染の深刻さから、「アマゾンのチェルノブイリ」といわれるほど環境が破壊されてしまったのだ。

◆集まった資金は目標額の１％以下

２００７年に就任したコレア大統領は、国連総会で「ヤスニＩＴＴイニシアティブ」を提案した。もっとも地球を汚染している国が、もっとも豊かであるという現実を突きつけ、環境破壊の責任を求め、その代償として35億ドルの負担金を世界に呼び掛けたのだ。

そして、もし負担金が集まらなければ、ユネスコから生物圏保護区に指定されているヤスニ地区の油田を開発すると明言した。

地球温暖化の原因のひとつである二酸化炭素を大量に吸収するアマゾンの熱帯雨林は、温暖化の防波堤といわれていることからも、このプロジェクトには多くの人が共感した。

しかし、先進国の財布のヒモはゆるまなかった。コレア政権は12年をかけて35億ドルを集めることを目指していたが、6年経った2013年の時点で集まったのはわずか1330万ドル。目標額の1パーセントにも満たなかったのだ。

この現実を受け入れ、コレア大統領はプロジェクトの中止を発表し、「世界が計画を頓挫させた」と述べて、石油の掘削を始めることを宣言した。

国民はこれに猛反対したが聞き入れられず、2016年、ヤスニ地区は掘り起こされ、油田開発がスタートしたのである。

一部ではすでに開発が始まっている。（2015年）

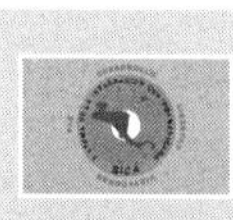

殺人事件が続発する中米7ヵ国の電力統合計画

◆さまざまな事情をもつ国々の統合計画

カリブ海と太平洋に挟まれた中央アメリカは、7つの国によって構成されている。グアテマラ、ホンジュラス、エルサルバドル、ニカラグア、コスタリカ、パナマ、べリーズといった国々だ。

人口は中米全体でも約4500万人と、けっして大きいとはいえないが、北アメリカと南アメリカを繋ぐという地理的条件から、多様な発展を遂げてきた国々でもある。

国を構成する人種を見ても、コスタリカには白人が多く、その他の国々は先住民と欧米人の血を引くメスティーソと呼ばれる人々が大勢を占めているところが多い。

さらに、社会主義の色が濃いニカラグアやアメリカ寄りのパナマやコスタリカなど、

中米の統合計画は、いくつかの分野では順調に進んでいる。写真は、ジカ熱に関する共同声明の様子。（写真提供:AFP＝時事）

政治事情もさまざまだ。

近年、これらの中米諸国を社会経済的に統合しようとする動きが高まっている。

1991年には中米7か国にドミニカ共和国を加えた8か国で、地域の経済社会統合を目的とした中米統合機構（SICA）が設立された。

それにより、経済、社会、教育・文化、環境、政策の5つの分野での統合が進められているのである。

◆ダム建設をめぐる対立

関税の撤廃による自由貿易圏の設置など、経済統合が一見順調に進んでいるのに対して、波乱含みなのがインフラの統合であり、なかでも電力統合には血なまぐさい事件がつきまとってきた。

問題になっているのは、電力網の強化にともなうダムの建設である。

中米諸国の各地にはそれぞれの先住民族の文化が色濃く残り、多くの人々が伝統的な暮らしを続けている。そのため、大がかりな水力発電施設をつくろうとすると、必ずといっていいほどその土地に暮らす先住民族たちとぶつかってしまうのである。

◆軍との衝突で400人以上が死ぬ

2006年の「ラテンアメリカリーダーフォーラム」において、グアテマラのシャラにおけるダム開発計画が公表されると、「ダムに反対するグアテマラ人戦線」を中心に、電力公社と政府を相手にした反対運動が盛り上がった。

グアテマラでは、内戦時代に政府軍による虐殺や焼き討ちで多くの先住民族が犠牲になったことから、政府に対する不信感が根強く残っている。

さらに、過去にはチクソイ水力発電所の建設に伴って政府軍と住民が衝突し、400人以上の住民が殺されてしまうという悲惨な事件も起きているのだ。

そんな背景があるなか、電力公社が雇っていた地域広報担当者が行方不明となったあと、死体となって発見されたのである。彼はダム推進のための住民交渉を担っていた。

また、グアテマラ東部のチョルティ民族は、フピリンゴ川におけるダム建設や、露天掘りのダム建設に反対運動を展開している。

コスタリカでも、ディキス水力発電所計画に対しての反対運動が繰り広げられた。ディキス水力発電所は、中米諸国への電力輸出も視野に入れて計画された、中米電力統合の柱になるはずのプロジェクトだった。

住民の強力な反対を押し切り２０２４年に稼働が予定されていたが、２０１８年にあえなく中止に追い込まれているのだ。

◆活動家の女性が殺される

ホンジュラスでは、先住民族の権利運動の中心的存在だった環境保護活動家の女性が殺害された。２０１６年3月、国際的な賞を受賞したこともあるベルタ・カセレス氏が自宅で殺害されたのだ。カセレス氏は先住民族レンカと共に、ダム建設の反対運動の先頭に立ってきた。

ダムが建設されれば、レンカの土地は水没し、水道網も破壊されてしまうと主張する彼女の活動は国際的にも評価され、環境保護に功績のある草の根活動家に贈られる最高の賞であり、環境分野のノーベル賞ともいわれる「ゴールドマン環境賞」を受賞している。

彼女の家族によれば、カセレス氏は活動をすることによって何度も殺害の脅迫を受けてきたという。当然、その死は対抗勢力の暗殺によるものだと訴えているが、真相はまだわかっていない。

◆再生可能エネルギーが状況を変えるか

物騒な展開を見せる中米のダム建設だが、近年では水力発電に代わる新たな計画が拡大しつつある。地熱、風力、太陽光、バイオガスなどの再生可能エネルギーだ。

国際金融機関の積極的な融資などの後押しもあり、中米諸国の再生可能エネルギーの導入は加速度的に進んでいる。２０１３年には全発電設備容量の58パーセント、全発電電力量の63・６パーセントが再生可能エネルギーによるものとなった。

特に目覚ましいのがコスタリカで、国を挙げて環境保全に取り組むなかで、２０１８年には4年連続で全発電量の約98パーセントが再生可能エネルギーとなっている。

さらに、２０５０年までに国をあげて「脱炭素化」を始めるとして、２０１９年2月にロードマップを発表した。まさに国家一丸となったＳＤＧｓ（持続可能な開発目標）計画である。

計画が持ち上がるたびに、武力衝突や人命が犠牲になってきた中米の電力統合だが、ここにきて技術の進歩という救世主が現れ、今度こそ平和的にその歩みを進めつつある。

ベルタ・カセレス氏の似顔絵を手にしながら、その死を悼む人々。

「アフリカ合衆国」を目指したカダフィの野望

◆27歳で最高指導者になったカダフィ

北アフリカにあるリビアは、アフリカ大陸で4番目に広い国土を持つ。石油の埋蔵量も多く、世界有数の産油国だ。

そんなリビアは長い間1人の人物によって治められてきた。ムアンマル・アル・カダフィ大佐である。

1969年にクーデターを起こし、27歳という若さで政権を手に入れたカダフィは、その後41年にわたり最高指導者であり続けた。

彼が目指したのは資本主義でも社会主義でもなく、さらには議会もない新しい国家だ。

もっとも、建前上は全国民が政治に参加するシステムになっていたものの、実態はカダフィの独裁政権だったといえる。

ところが、カダフィはリビア一国では満足しなかった。アフリカ全体をひとつの国にする「アフリカ合衆国」を構想し、その頂点に立つという野望を抱いていたのである。

ムアンマル・アル・カダフィ。胸にはアフリカ大陸をイメージしたマークがあしらわれている。

◆アフリカ全体の結束を目指す

アフリカは農産物や天然資源、人口にも恵まれている。にもかかわらず、世界の中でも最低レベルに位置する貧しい国が多い。

カダフィはその理由を、欧米諸国がアフリカを都合よく利用し、本来は自分たちが手にできるはずの利益を吸い上げているからだと主張した。

欧米とアフリカでは国力に差がありすぎるのが現状だ。一国だけで対抗しようとしたら、まったく相手にならないだろう。だが、たとえ一つひとつは弱くても、アフリカ中がタッグを組めば大きな勢力になるはずだった。

ＥＵ（欧州連合）やＡＰＥＣ（アジア太平洋経済協力）のように、政治と経済の両面で結びつきを強めようとしたわけだ。そのためには国家という壁を取り払い、政治組織や金融機構、通貨まで統一すべきだと考えていた。

◆アフリカを統一する機構をつくる

じつは、アフリカ合衆国という発想は目新しいものではない。すでに１９５０年代の終わりには、ガーナの大統領だったエンクルマがアフリカ諸国に政治的な統合を呼びかけていたのだ。

各国が内紛などのトラブルを抱えていたためこの政治統合案は先送りされたものの、国家間の協力を約束するＯＡＵ（アフリカ統一機構）が結成されている。

このＯＡＵは、２００２年にＡＵ（アフリカ連合）へと変わった。

ＡＵはＥＵを手本にした連合体で、ＯＡＵ時代よりも政治・経済での統一を目指す色合いが濃くなっている。それもそのはずで、ＡＵへの移行を強力に推し進めたのはほかならぬカダフィ本人なのだ。

石油で得た豊富な財源を元に、リビアはアフリカ諸国に援助を行っている。こうしてカダフィは自分に味方してくれるであろうこれらの国を次々とＡＵに加盟させたのである。

アフリカ合衆国の成立に向けてカダフィはさまざまな提案をした。もちろん、その中心となるのはリビアであり、カダフィ自身でなければならなかった。

◆他のアフリカ諸国とのあつれき

アフリカ合衆国という構想は、悪くなかった。もし実現すれば、リビア以外の国にとってもメリットがあったかもしれないからだ。

しかし、アフリカ大陸の中にはリビアより国家としての規模が大きく、経済的にも上回る国がある。当然そうした国々はカダフィの計画を拒否した。

仮にもし賛成したら、この先はカダフィがリーダーシップをとることになる。格下とみなしているリビアに従うなど、大国にとってはプライドが許さなかったのだ。

また、カダフィはこっちの国は農業に専念しろ、あっちの国は工業だけを行えといった具合に、一方的に要求を押しつけた。そんな強引なやり方も反感を買ったのだ。

当然のことながらAU内でアフリカ合衆国に賛成してくれるのは、リビアが援助している国だけだったのである。

◆「アラブの春」により計画は消える

反対にあったくらいで簡単に諦めるカダフィではないが、やがてアフリカ合衆国に関わっていられない事態が発生する。2011年にチュニジアから始まった民主化運動、いわゆる「アラブの春」は周辺のアラブ諸国へと広がり、リビアでも反政府運動が起きた。長期政権の間に政治は腐敗し、溜まっていた国民の不満が爆発したのだ。

この時、欧米諸国は反政府勢力を支援したのだが、その背景にはアフリカ合衆国計画が関わっていたともいわれている。

カダフィはプロジェクトの一環として、アフリカ金融機構やアフリカ中央銀行、アフリカ通貨基金を創設し、独自の金融体制をつくろうとしていた。

中央銀行は共通の通貨を発行し、金融機構が経済の安定を図る。そして、通貨基金を通じて各国が互いに援助し合うといった図式である。

反カダフィを叫びリビアの都市アルバイダに集まった人々。この内戦の過程でカダフィは殺害された。

国際通貨基金や世界銀行は欧米を中心に組織されていて、そこを頼れば必ず欧米の干渉が入る。独自の金融システムをつくることで、アフリカを金融面で独立させたいという狙いがあったのだ。

通貨基金の設立に関しては欧米や中東からも出資したいと打診があったが、カダフィはすべて断った。アフリカ合衆国ができれば、欧米はアフリカにおける大きな利益を失うかもしれない。そんな不安がカダフィ打倒に加担する一因になったともいう。もちろんカダフィは抵抗したが、ついに殺害されてしまった。

こうしてカダフィが思い描いた壮大な計画は、彼の命とともに消え去ったのである。

巨大な地下経済を生み出したキューバの「国家計画経済」

◆カストロによるキューバ革命

まだバラク・オバマがアメリカ大統領を務めていた2015年7月、アメリカとキューバが54年ぶりに国交を回復したというニュースが伝えられた。

「カリブに浮かぶ赤い島」と呼ばれるキューバは、アメリカ大陸の周辺で最初に誕生した社会主義国だが、1959年に革命が起きるまではアメリカと密接に結びついていた。というより、アメリカの影響下に置かれている状態だった。

キューバは1902年にスペインから独立を勝ち取ったものの、その直後からアメリカの干渉が始まり、政治も経済も支配される。

しかし、その後アメリカ資本の企業からの見返りで私腹を肥やしていたバチスタ政権への不満が最高潮に達し、ついに１９５９年に民衆が立ち上がった。

フィデル・カストロを中心とする反政府勢力による「キューバ革命」が起こり、バチスタ政権を倒して社会主義国家を宣言したのだ。

カストロは首相に就任すると、石油精製会社や製糖会社、銀行など腐敗の温床となっていたアメリカ資本の企業を次々と国有化した。

これに対抗してアメリカは、キューバへの輸出禁止措置をとって援助を打ち切り、１９６１年、両国の国交は断絶されたのだ。

1960年の記念行進の様子。左端がカストロ、一人おいて３人目がチェ・ゲバラ。

◆ソ連の崩壊で共倒れになる

カストロはもともと社会主義者ではなかったという。だが東西冷戦の時代、大国のアメリカと敵対するとなると、力を借りるのはソ連しかなかった。

そこで社会主義体制に転換し、ソ連の後ろ盾を得た。これによって、世界一の生産量を誇るキューバの砂糖を高値でソ連に輸出し、ソ連の石油を安く買えるようになった。こうしてキューバの経済は安定的に成長していったのだ。

だが、1991年のソ連崩壊でキューバの経済も共倒れになる。ソ連がキューバを支援できなくなり、石油の輸入も激減した。

政府はこの事態を切り抜けるために省エネ政策を打ち出した。国営企業や個人に供給するガソリンの量を制限し、雑誌や新聞の発行を減らし、食糧や生活物資を統制した。

それでも、エネルギー危機から脱することはできなかった。キューバのGDP（国内総生産）は、1990年からの4年間でなんと40パーセントも落ち込んだのだ。

◆社会主義のもとで地下経済がふくらむ

そんな壊滅的な経済状況のなか、うごめきだしたのが地下経済だ。

キューバの社会主義は、経済だけは資本主義化しているような中国に比べると筋金入りだといえる。市場の価格や在庫、賃金はすべて政府の計画のもとで定められ、生活必需品や物資は配給によって分配されていた。

だが、衣食住において個人の自由がないというのは不便でもある。

カストロ政権は、自動車の売買を革命以前にすでに国内にあったものだけに限り、住宅も交換はできても売買は禁止していた。

だから、キューバの街には50年代のシボレーやフォード、ビュイック、ポンティアックなどマニア垂涎（すいぜん）のアメリカ車がいまだに現役で走っているのだ。そんな時代から取り残されたような風景を好む観光客もいる。

しかし、これらのクラシックカーを走らせるためには、部品の交換が欠かせない。もちろん、新品の正規部品など世界中のどこにもない。つくっているのはヤミの個人商店だ。

キューバの首都ハバナを走る現役のクラシックカー。

社会主義との決別によりキューバの街の風景は変わりつつある。

ボンネットの中をのぞいてみると、エンジンは韓国製、トランスミッションは日本製など、さまざまな国の部品で修繕されていることがわかる。

また、国が運営するレストランや商店では、店員に働く意欲がなく、ショーケースもガラガラで魅力がない。もちろん、どこの店に行っても料金は一律だ。

そこで、観光客向けに自宅でおいしいキューバ料理を提供する民間レストランや、個人経営のタクシー運転手などが現れ出した。

野外でファッションショーを開催して服を売るデザイナーもいる。

彼らの収入は、国営の企業やレストラン、病院などで働くよりもはるかに高い。たとえば、医師の1カ月の給料をタクシー運転手なら1日で稼ぐことができるのだ。

◆変わり始めたキューバ

キューバ政府はそんな計画経済の失敗を目の当たりにして法律を変え始めている。

2008年にフィデル・カストロの後を継いで議長に就任したラウル・カストロは、自動車の売買を自由化する法律を施行し、住宅の売買も解禁した。

また9000軒あった国営レストランは、すべて民営化が進められている。1200軒以上ある個人の〝ヤミレストラン〟が人気を集め、順調に営業していることから、市場原理を取り入れるという方針に転換したのだ。

さらに、インターネットの規制緩和も進められていて、有料ではあるがWi-Fiも使える場所があるという。

アメリカとの国交断絶によって半世紀以上も閉ざされてきたキューバだったが、社会主義との決別とアメリカとの国交回復によって新しい時代が期待されたのである。しかし、現在のトランプ政権はキューバ政府との対決姿勢を強めており、両国の関係は再び混沌としているのが現状だ。今後の展開に世界中が注目している。

3章
強国になるための兵器と戦争

SF作品に登場するような兵器「怪力線」

◆終戦ギリギリまで続けられた研究

太平洋戦争が開戦した頃、現在の神奈川県川崎市多摩区には「登戸研究所」という名の施設があった。現在はその場所には明治大学があり、キャンパス内には跡地であることを示す石碑や弾薬庫、消火栓の跡などが今も当時のまま残されている。

登戸研究所は、全部で10あった大日本帝国の陸軍直轄の研究所のうちのひとつで、正式名を「第九陸軍技術研究所」という。

開設されたのは1937年のことだが、ここで研究されていたのは、ずばり戦争のための兵器だった。当時、ここに集められた人数はおよそ1000人だった。第1科は風船爆弾や電波兵器など物理学を利用した兵器を開発、第2科は生物化学兵器やスパイ器

戦前の雑誌に描かれた「怪力線戦車」のページ。
（引用元:『機械化』昭和17年6月号 第19号／画像は『機械化　小松崎茂の超兵器図解』（スタジオ・ハードデラックス編・ほるぷ出版）より）

材などの化学を応用した兵器を開発、そして第3科では、大陸の経済を混乱させる計画の一環として中国紙幣の偽札を製造していた。

そんななか、この地で最終秘密兵器として終戦ギリギリまで研究が続けられたのが「く号兵器」、通称「怪力線」である。

だが、結果としてこの秘密兵器が戦場へ出ることはかなわなかった。

いったいそれはどのようなもので、なぜ成功しなかったのか。

◆第1次世界大戦で「戦争」が変わる

戦争がそれまでの武力戦から形を変えたのは第1次世界大戦のことだ。

敵の偵察には飛行機が使われ、海には潜水艦が航行し、悪路を頑丈な戦車が走り、毒ガスが一度に大量の敵を殺す。もはや兵士だけではなく、民間人をも巻き込んでいく大量殺戮の時代へと突き進んでいたのである。

この新兵器開発の波に乗り遅れまいと焦った日本は、まずは毒ガスの研究から手をつけ始めた。その後、多くの所員が実験で命を落とすなど、過酷な環境で爆薬や兵器が次々と開発されていったのである。

◆実用化された風船爆弾

なかでも当時の代表的な新兵器といえば風船爆弾で、これは和紙を貼り合わせた気球に水素ガスを充填し、焼夷弾を搭載するというものだ。

これを太平洋からアメリカ本土まで飛ばすという突飛な発想の兵器だが、気流にうまく乗れば50時間で到達、しかも紙製のため敵のレーダーに引っかかりにくいという利点もあった。

実際、生産された1万発のうち、3パーセントほどがアメリカに到達したという記録もある。

しかし、これでは敵に決定的なダメージを与えることはできない。世界の大国を相手に戦うには、アッと驚くような秘密兵器が必要である。

こうして取り組んだのが、「怪力線」の開発だったのだ。

風船爆弾のテストの様子。山口県では女子生徒が駆り出された。

◆殺傷力を持った電波

怪力線は簡単にいえば、電子レンジのように電波で熱を起こして相手を殺傷する兵器である。

第一級のトップシークレットだったせいか、資料はほとんどないが、唯一、登戸研究所に関する書籍に、当時の研究に携わった山田愿蔵（げんぞう）という人物の手記があり、そこに開発の様子が垣間見え

電波兵器は現在も開発が進められている。写真は米軍が開発中の「アクティブ・ディナイアル・システム」で、電磁波の照射により人体の温度を上昇させる。

る。

それによれば、怪力線は研究所では「く」号と呼ばれていた。これは「怪力（くわいりき）」の頭文字からとられている。

当初は電波以外にも、衝撃波、サイクロトロン（加速器）を使った放射線による可能性も探られたが、この2つは途中で断念し、電波の一種である強力超短波に絞って開発が進められたという。

◆実用化には至らなかった

しかし、戦況が悪化すると登戸研究所は長野と兵庫に疎開移転することになった。

「く」号の研究グループは、80センチ波（375メガヘルツ）、1000キロワットの強力電波で、超低空で飛んでくるＢ29爆撃機のエンジンをストップさせることを目的として研究を急いだ。

長野県の安曇野の北にある送電線から大電力を得て実験しようという話にもなった。だが、あと一歩のところで技術やコストが追いつかず、一度も日の目を見ることなく敗戦を迎えてしまったのである。

戦時下に発売された国防科学雑誌『機械化』には、「未来戦車」と題して、その怪力線の完成をイメージしたイラストとともに解説が掲載されていた。

それによれば、戦車の上に電光発信砲塔が取り付けられ、そこに短波のアンテナと怪力砲が設置されている。そして、内部には鉄甲真空管や蓄電池、モニターなどもしっかりと描写されているのだ。

最後まで夢を追い続けた登戸研究所は、１９４５年8月の終戦とともに解散した。

しかし、戦後のＳＦ作品や少年向け雑誌にはしばしばこの夢の兵器が登場し、人々をワクワクさせたのである。

空飛ぶ戦車「特三号戦車クロ」の開発

◆トラクターを改造してつくられた初の戦車

戦車の登場は1915年で、イギリス軍によって実戦投入されたのが最初である。その前年に開戦した第1次世界大戦では、敵同士が塹壕を掘って撃ち合う「塹壕戦」が主流だったたが、撃っては隠れてを繰り返す消耗戦は戦争を長引かせる要因にもなった。

そのジレンマを一気に打破すべく開発されたのが、イギリス軍の戦車だ。戦車の名称は「マークI」で、もともとは農業用トラクターを改造して、そこにキャタピラをつけたものだった。それでも全長は8メートルもあり、スケール感は現在の一般的な戦車と大差がない。何よりも、障害物をものともせず突き進み、機関砲の爆音をとどろかせる圧倒的なその姿に誰もが震え上がったのだ。

◆ルノーの戦車をもとに国産戦車を試作する

日本もまた、そのインパクトを受けた国のひとつで、第1次世界大戦後にはさっそくヨーロッパから戦車を輸入して研究をスタートさせている。

手始めに訓練用として購入したのはフランス製の戦車「ルノーFT－17」で、ここから具体的に独自の戦車の開発を進めることになった。日本の戦車としての試製1号戦車は、重量18トン、最大速度20・0キロメートル、57ミリの砲副武装に軽機関銃が2つ、エンジンはV型8気筒空冷ガソリンエンジンで140馬力というスペックだった。

その後、改良を重ねて初代の主力戦車「89式中戦車（甲）」を、また甲を改良した「89式中戦車（乙）」などを誕生させ、すぐに実戦投入も果たしている。

◆戦車と航空機の融合を計画する

第1次世界大戦で戦車とともにインパクトを与えたのが航空機だった。

登場当時の主な役割は偵察だったが、1930年代に入ると、輸送機から武器を持った兵士がパラシュートで降下する空挺部隊が出現した。

こうなると、制空権さえ確保していれば敵を攻撃することも可能となる。それまで陸や海だったのが、空からも攻めるこの目新しい戦術はすぐに戦場では欠かせないものになった。

そのうち、陸で最強の戦車に翼がつけられないか、「空を飛ぶ戦車」があったら最強なのではないか、当時の人々がこんな発想を抱くようになったのは自然なことだったのかもしれない。

もちろんそう考えたのは日本だけではなかった。むしろ航空機の先陣を切っていた海外のほうが、いち早く戦車を飛ばすことを実戦していたのである。

◆各国で開発されるが実用化されなかった

たとえば、戦車のエンジニアとして世界的に有名だったアメリカのジョン・W・クリスティーは、すでに空を飛ぶ戦車のアイデアを持っていた。

構造的には、砲塔がない固定戦闘室の戦車に主尾翼とプロペラを取りつけ、自力飛行と離着陸ができる本格的なものだった。

　そして、ソ連も同時期に軽戦車の「T—26」を改造して空を飛ぶ戦車の開発を進めており、さらにイタリアも豆戦車の「CV33」をベースに翼をつける方向で研究が重ねられた。

　戦車の生みの親であるイギリスも同様に、ジープのオートジャイロ化を試みたとされている。

　だが、いずれも重量、空気抵抗、コストの面から実現に至らなかったのである。

ソ連で試作された空挺戦車アントノフA-40。戦車に翼がついているような形であることがわかる。

◆日本でも開発が始まる

　日本では太平洋戦争の真っ最中に、空挺部隊の要望で「空飛ぶ戦車」の開発が始まった。特に島国である日本にとって、海を越えた戦場への戦車の輸送は避けては通れない課題だった。そういう

日本の九八式軽戦車。この車体に翼をとりつけることが検討された。

意味では、どの国よりも空を飛ぶことへの執着があったかもしれない。

日本がベースにしたのは、自国の九八式軽戦車である（九五式の説もあり）。

まずは、できるだけ車体を軽くし、22メートルの主翼と尾翼は取り外し可能なものを装着した。主武装は37ミリ砲で、火炎放射器への交換も可能にした。

これを牽引機で輸送し、目的地で切り離して滑空させ、ソリを使って着陸させるという計画だった。

設計は主翼に前田航研工業、車体に三菱重工とスペシャリストが請け負ったが、他国同様、実現化は簡単ではなかった。

◆未知数すぎて企画倒れに終わる

乗員人数を2名にまで減らしたり、小型のガソリンエンジンへ変更するなど軽量化を図ったが、それでも重量は最低でも3トンはあった。

こうなると、飛行中の舵取りはかなり高いハードルになる。それに仮にうまく飛行できたとしても、高速飛行はできないのであっという間に撃墜されてしまうのは目に見えている。運よく撃墜されなかったとしても、そもそも戦車のような重いものが着陸の衝撃に耐えられるのか。

結局、未知数の兵器に労力をかけるのは無駄と判断され、開発は中止になった。

島国・ニッポンの最終兵器となるはずだった「空飛ぶ戦車」は、早々に計画倒れに終わってしまったのだ。

ただ、近年ではおもちゃメーカーが、特三号戦車クロ模型を発売してマニアを喜ばせた。戦後80年経過した今も、幻の戦車はまだまだ興味深い存在なのかもしれない。

ナチスドイツがつくった80センチ列車砲

◆移動できる巨大な大砲の開発

大砲は古くから戦場で使われてきた兵器だ。一撃で城壁や建物を破壊する力があり、敵から遠く離れた場所から発射することができるのが特徴だ。

第1次世界大戦では、死者のうち7割が大砲の犠牲になったといわれている。

大砲は、より大きな砲弾を高速で飛ばすことで破壊力が増すため、開発が進むにつれて巨大化していった。

しかし、あまりにも巨大化すると機動力が落ちる。

そこで登場したのが、機関車で移動することを可能にした「列車砲」だった。

◆列車砲以前は馬で大砲を運んだ

列車砲がはじめて戦場に実戦投入されたのは、アメリカの南北戦争だった。

それまでは、馬や兵士が重い大砲を押したり引いたりしながら移動させていたが、移動するのに時間がかかってしまえば、どれだけ破壊力のある武器でも無用の長物になってしまう。

そこでかなり以前から、馬力のある機関車で牽引して運ぶという案は考えられていたのだが、それを実際にやってのけたのが南北戦争だった。

貨物列車に大砲を積み込んで、機関車で戦場の近くまで運んで敵に向けて発射したのだ。

この新たな兵器に欧米列強は魅了された。これを機に、各国で列車砲の開発が進められていき、第1次世界大戦ではフランス軍やイギリス軍も実戦配備した。

一方で、ドイツが実戦で使ったのは第2次世界大戦になってからだ。しかし、ヒトラーの要望で造られたその列車砲は、他国に例を見ないほど巨大なものだった。

それこそが世界最大の「80センチ列車砲」である。

有効射程距離130キロのパリ砲。射程距離が長すぎるため、地球の自転により着弾地点に誤差が生じたという。

◆列車で移動する「パリ砲」

80センチ列車砲を製造したのは、現在でも世界中で巨大重機を手がけているドイツのクルップ社（現ティッセン・クルップ社）である。

クルップ社は、第1次世界大戦でも「パリ砲」といわれるフランスのパリを砲撃するための巨大砲を製造している。

パリ砲の特徴は、有効射程距離が130キロメートルもあったことだ。これほどまでに砲弾が飛ぶのは、発射した砲弾がいったん成層圏に達するからで、砲弾にかかる空気抵抗が少ないために飛距離を伸ばすことができたのである。

80センチ列車砲の飛距離はそこまでではなかったが、それでも射程距離は30〜48キロメートルあり、もし現在の東京の日本橋で発射させたとしたら、府中市や横浜市、さいたま市が圏内になる。

　砲身を含めた全長は約47・3メートル、高さが11・6メートル、弾薬ケースだけでも1・3メートルという大きさで、総重量は１５００トンともいわれている。

　ちなみに、16両編成の新幹線の総重量が約７００トンというから、重さは倍以上である。よほど馬力のある機関車に牽引されない限り、とうてい動かすことができない規模であることがわかる。

　そして、主砲の直径はその名の通り80センチメートル。これは、戦艦大和の46センチメートルをはるかに超える大きさだ。この巨体を線路に置いた台車に積んで移動させるのである。しかし、車幅が7・1メートルもあったので、並行して走る2本の線路にまたがって載せなければならなかった。つまり、単線の路線では運ぶのは不可能だったのである。

◆本来の目的は要塞の破壊

　ナチスドイツは、なぜこのようなクレイジーともいえる超巨大列車砲をつくったのか。

　それは、第1次世界大戦時にフランスがドイツとの国境地帯に築いた、長さ数百キロ

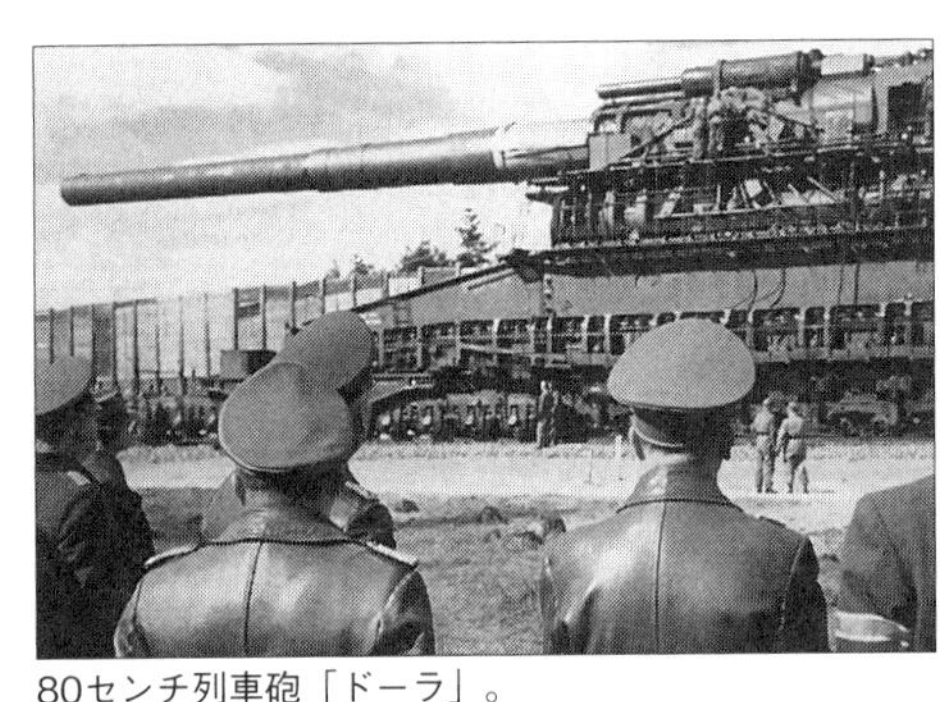

80センチ列車砲「ドーラ」。

の堅牢なマジノ要塞を破壊するためだった。だが、実際には製造された2門の列車砲「グスタフ」も「ドーラ」もマジノ要塞の攻略には出動していない。

実戦で使われたのは、クリミア半島のセヴァストポリ要塞攻囲戦と、ソ連のスターリングラード要塞攻防戦など、わずか数回だったといわれている。

なぜなら、とにかく何をするにしても人手がかかりすぎるのだ。移動や整備だけで4000人以上が必要で、砲弾が5~7トンもあったので、実際に使うにしても1400人の兵士が駆り出された。

◆大きすぎて敵にバレる

さらに、いくら大陸だからといって、ドイツとすべての敵地が鉄道で結ばれているわけではないし、ましてやすべての線路が複線とも限らない。

そのため、わざわざ完成品を分解して鉄道で運び、射的圏内に入ってから再び組み立てるということも行われていた。スピーディーに、そして高速で戦地に向かえるという列車砲の利点が実際にはまったく生かされなかったのだ。

さらに、巨大すぎたのも欠点だった。いくら攻撃目標から数十キロメートルも離れている場所から発射できるといっても、上空の飛行機から見下ろせば4階建てビルほどの兵器が忽然と現れることになるので、敵にすぐにバレる。

そのため、まずは制空権を確保しなければならないなどの事前準備が必要になるのだ。

結局、グスタフとドーラはその使い勝手の悪さなどからお荷物となり、ほとんど使われることはなかった。

そしてドイツの敗戦が色濃くなってきた戦争末期、この2門の大きすぎる兵器は、連合軍の手に渡ることを恐れたドイツ軍によって破壊されるという運命をたどったのだった。

あまりに強力すぎて封印された「ツァーリボンバ」

◆威力は広島型原爆の３３００倍

世界で唯一の被爆国である日本にとっては、核兵器というフレーズが引き起こすネガティブなイメージは他国民よりも強いといえる。第２次世界大戦中に広島に投下された原子爆弾「リトルボーイ」は、一瞬にして街を焦土に変えてしまった。

ところが、ＴＮＴ火薬量に換算してリトルボーイの３３００倍にもあたる強力な核爆弾の開発が過去に進められていたのである。

その核爆弾こそが巨大な水素爆弾「ツァーリボンバ」だ。開発が進められていたのは冷戦時代の旧ソ連で、「ツァーリ」はロシア皇帝を意味する言葉である。

ツァーリボンバの実物大の模型。

◆冷戦時に開発された最悪の核爆弾

冷戦の始まりは、１９４５年に行われたヤルタ会談がきっかけといわれている。

第２次世界大戦後の世界情勢について話し合われたこの会談によって、ヨーロッパとドイツが東西に分断され、それぞれアメリカと旧ソ連が中心となって支援することが決定されたのである。

この東西の分断が、徐々にアメリカ中心の西側と旧ソ連中心の東側の対立構造を生み出した。

そのなかで、アメリカとソ連の宇宙開発や兵器開発の競争が過熱し、核戦争一歩手前まで緊張感が高まっていったのだ。

ツァーリボンバの開発を命じたのは、当時の旧ソ連首相のフルシチョフだ。

フルシチョフはスターリンの死後に旧ソ連共産

党を率いた指導者である。スターリン批判を展開し、アメリカとの対話路線を模索する一方で、アメリカと同等の力をつけるべく、宇宙開発や核兵器開発を推し進めたのだ。

◆衝撃波が地球を3周する

ツァーリボンバの開発を手掛けたのは、旧ソ連最高の物理学者といわれたアンドレイ・サハロフ博士だ。

「ソ連水爆の父」と呼ばれたサハロフ博士の研究チームにより、第2次世界大戦で使用された総火薬量の10倍に相当する破壊力を持った水素爆弾が誕生したのである。

ツァーリボンバはその姿も巨大だった。全長8メートル、直径2メートル、重さは27トンにもなる。フルシチョフの命によって開発が始まって3カ月後、1961年10月30日に、ツァーリボンバによる水爆実験が行われた。

ソ連北方にあるノヴァヤゼムリャ島の上空に運ばれたツァーリボンバは、高度約一万メートルの地点で空中に放たれたのである。

ツァーリボンバはその巨大さゆえ、ソ連最大の長距離戦略爆撃機Tu—95をもってしても、そのまま搭載することができなかった。爆弾倉の扉を外し、翼燃料タンクは外され、さらに機体に半埋め込み式にしてようやく積むことができた。

ツァーリボンバによって生じたキノコ雲。
（引用元：http://www.youtube.com/watch?v=16cewjeqNdw）

さらに、投下速度を減速するためにパラシュートが取り付けられた。パラシュートをつけなければ、最大時速９００キロ以上を誇るＴｕ－95でも、爆弾を投下してから安全圏に避難することができなかったのだ。

投下されたツァーリボンバは高度４０００メートルに達したところで空中爆発した。その際に生じたキノコ雲は、高さ40キロメートル、幅30～40キロメートルにもなった。

爆発の衝撃波は地球を3周してもまだ計測できるほどで、日本の観測所でも衝撃波の到達が記録されている。爆風で人が死傷する範囲は23キロメートル、致命的なやけどを負う熱線が届く範囲は58キロメートルにもなった。

恐ろしいのは爆発実験に伴うソ連本土への影響力を懸念して、威力を半減させていることだ。実際の設計通りなら、どれほど甚大な被害が出るかは想像を絶するものがある。

◆開発者が反核兵器に転じる

開発者であるサハロフ博士は、「大量殺戮の開発で得た財産は血で汚れている」という言葉を残している。

サハロフ博士は、のちに核兵器の危険性を憂慮し、核兵器反対を訴えるようになる。彼が主導権を取り、１９６３年にソ連、アメリカ、イギリスによる部分的核実験禁止条約が締結されるに至っている。さらに、ソ連における死刑廃止の訴えやアフガニスタン侵攻への抗議などが評価され、１９７５年にノーベル平和賞が授与された。

サハロフ博士が死去する前年の１９８８年、欧州議会は人権と思想の自由を守る人に与える「サハロフ賞」を創設した。

この辺りのくだりは、ノーベル賞の創設者であるノーベルの人生と不思議なほどリンクしている。ダイナマイトの発明により「死の商人」と呼ばれたノーベルは、平和を願ってノーベル賞を設立したのだ。

◆あまりの威力に封印される

結局、ツァーリボンバの実験はこの1回限りで、実戦配備されることもなかった。最大の爆撃機にもそのまま搭載できない巨大さや、あまりの威力の大きさに、かえって実用性が低かったともいえる。

とはいえ、この爆弾の開発は旧ソ連の核開発能力を西側陣営に見せつけることとなった。その後、ツァーリボンバの開発を命じたフルシチョフはアメリカのケネディ大統領との対話によって、冷戦時代にもっとも緊張感が高まったキューバ危機を乗り切った。アメリカ側からすれば、ソ連の核兵器の威力を目の当たりにしたことで、核戦争になったら世界が終わってしまうという計り知れない危機感を持ったに違いない。

壊滅的な破壊力を持つツァーリボンバが、再びその封印を解かれて歴史の表舞台に姿を現さないことを願うばかりだ。

ソ連が本気で取り組んでいた超能力の軍事利用計画

◆オカルト世界で米ソが対立

第2次世界大戦後からソ連が崩壊する1991年までの冷戦時代、世界の超大国として君臨したアメリカとソ連は激しく対立し、軍事力や科学技術を競い合っていた。

それは、核開発や宇宙開発、航空技術だけでなく、オリンピックでのメダル獲得競争など、スポーツの世界にもおよんだことでも知られている。

しかも、その競争はオカルト的な世界でも繰り広げられた。

アメリカとソ連はお互いを激しく意識しながら、国家的に超能力や超心理学についての研究を推し進めていたのだ。最初に研究を本格的にスタートさせたのはソ連だったが、そのきっかけをつくったのは、いわば〝デマ〟だった。

◆創作話に焦ったソ連

1960年に、戦後フランス出版界最大のスキャンダルとされる一冊の本が出版された。フランスの思想家でジャーナリストのルイ・ポーウェルと物理学者のジャック・ベルジェの共著『魔術師の朝』がそれだ。この本が取り上げているのは魔術や錬金術、秘密結社、巨人伝説などで、各国で翻訳本が出版されるや欧米でセンセーションを巻き起こした。

日本でも1975年に部分的に内容を抜き出して翻訳したものが『神秘学大全』として出版されている。

その膨大なページの中の一部に「米政府の秘密研究」という、ソ連をはじめとする東側諸国を驚愕

超能力開発競争のきっかけとなった『魔術師の朝』の表紙。

させる内容が記載されていた。なんと、アメリカがテレパシーについて実験を重ねた結果、軍事的な通信手段として実用可能なレベルまで到達しているというのだ。

実験は1959年に行われ、大西洋を潜航する原子力潜水艦ノーチラス号とアメリカ本土の間で、機械を介さずに人間の思考がテレパシーによって伝達されたことがまことしやかに伝えられていた。

だが、じつはこの話は著者の創作で、実際にはアメリカ政府がこのような実験を行った事実はなかったのだ。

しかし、ソ連は焦った。そして、アメリカに追いつけ追い越せとばかりに、ただちに超能力についての研究を国家プロジェクトとして強力に推し進めることを決定したのだ。

◆ソ連が行った実験の数々

ソ連政府は当時の日本円にして1000億円以上もの巨費を投じ、研究施設を首都のモスクワはもちろんシベリアなど各地に設置した。そして、かつてプーチン大統領も所属していたKGB（ソ連国家安保委員会）の監視下で厳格に管理したのである。ソ連にとって超能力の研究は、核開発やロケットなどと同じ位置づけの重要戦略のひとつだったのだ。実験は多岐にわたった。3200キロメートル離れたモスクワとシベリアの間でテレパシー通信実験を行い、脳波記録計で脳波の変化を計測した。また、ウサギの親子を遠く離れた場所に隔離し、母ウサギの脳に電極を埋め込んで、子ウサギの身に危険が迫った時にどのような反応が起こるかなども実験している。

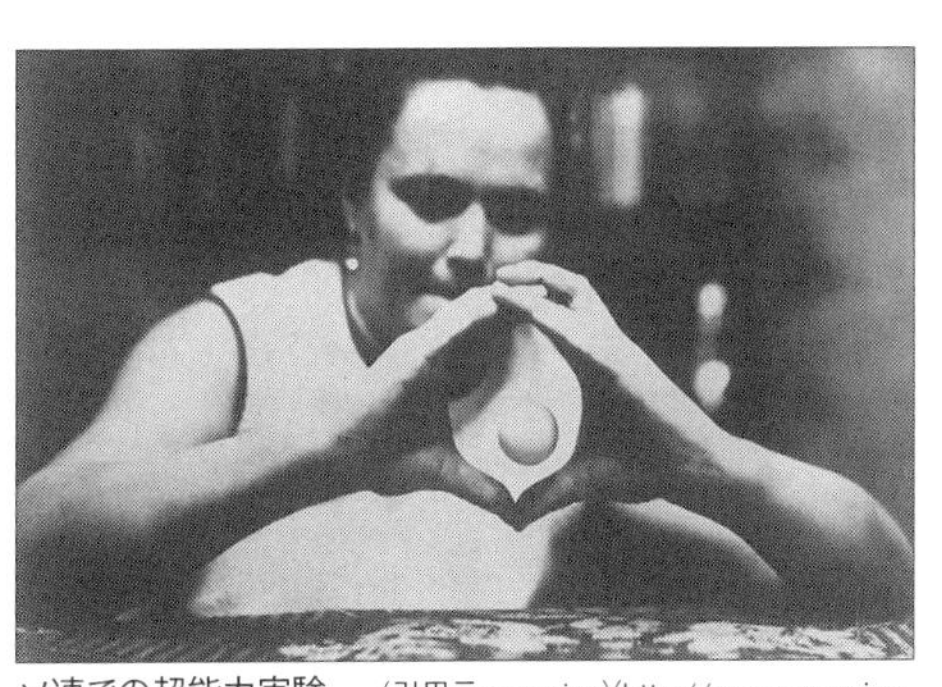

ソ連での超能力実験。（引用元:oarquivo）(http://www.oarquivo.com.br/extraordinario/pessoas-especiais/3892-nina-kulagina.html)

◆アメリカでも実験が始まる

当時、アメリカ陣営の西側諸国とソ連陣営の東側諸国はいわゆる〝鉄のカーテン〟で隔てられていたが、それでもソ連のこの研究は西側諸国にも漏れ伝わってきた。そして、その情報はアメリカ政府を激しく動揺させたのだ。

さらに、アメリカ人とカナダ人のジャーナリストが１９６８年に共産圏の超能力研究をルポルタージュした『ソ連圏の四次元科学』が出版されると、動揺は強烈な危機感に変わる。

共産圏では高度な機器を用いなくてもＮＡＴＯの基地の情報を集めたり、アメリカ国内にいる人の思考を操ることができるというのだ。それが本当なら、核ミサイル基地の職員などがターゲットにされかねない。

そこでアメリカ政府は、それまでも世界的に有名な超能力者のユリ・ゲラーの研究を行っていたスタンフォード研究所に多額の資金を援助して、超極秘の諜報作戦「スターゲイト計画」を開始したのだ。

ＣＩＡ（アメリカ中央情報局）は超能力者らを集めて、幽体離脱やテレパシーによってソ連の軍事施設の偵察などをテストした。それは20年も続いたという。

◆成果なく終わったスターゲイト計画

徐々につまびらかになってくるソ連の研究成果に、アメリカ政府はいてもたってもいられなかったはずだ。

なにしろソ連に潜入していたＣＩＡの代理人の報告書には、ロシア人がテレパシーを使って遠距離から人の行動に影響を与えられること、さらに感情や健康状態などを変化させて殺してしまうこともできると記されていたのだ。

しかし、いくら西側諸国に情報が洩れていても、もちろんソ連はそんな研究をしていることを公表するはずもない。

ところが、１９７７年になって「トス事件」が起こる。『ロサンゼルス・タイムズ』の通信員のロバート・チャールズ・トスがソ連の超心理学の国家機密情報を入手しようとしたとしてＫＧＢに連行されたのだ。

トスはアメリカ政府の猛抗議で釈放されたが、この事件によって、奇しくもソ連で超心理学が極秘で研究されていることを世界に知らしめることになったのだ。

この研究はソ連崩壊後のロシアでも続けられていたようだ。だが、21世紀になってから経済危機などで資金が枯渇して、その規模は大幅に縮小されたという。

そして、アメリカのスターゲイト計画も１９９５年に打ち切られ、「成果なし」の烙印を押されている。

ただ、もし遠隔透視が成功していたら、今の世界の勢力図は一変していたことだろう。

アメリカとカナダが本気で開発していた空飛ぶ円盤

◆50年以上前の資料から明らかになった事実

アメリカでは、その出来事から50年以上経過すると、歴史的価値がある重大な資料などいわゆるトップシークレットが公表されることがある。

2012年にも国立公文書記録管理局によって、ひとつの国家機密が解禁となり、その内容が明らかにされた。

公開された文書は1956年に作成されたもので、そこに書かれているのは、1950年~60年にかけて「空飛ぶ円盤」の開発を目指していたという仰天の事実である。

宇宙人やUFOの目撃情報でよく描かれるおなじみの大きな丸い乗り物は、あくまでフィクションや都市伝説の中でのみ存在するものだ。

だが、それを現実のものにしようと、実際に巨額の予算をつぎ込んで研究していた時代があったというのである。

◆主体はアメリカ軍とカナダの企業

「プロジェクト1794」と名づけられたその計画は、アメリカ軍とカナダの航空会社「アブロ」が共同で行っていたものだ。

アブロ社はもともとイギリスの会社だったが、第2次世界大戦中におもに軍用機を製造する目的でカナダに子会社が造られた。倒産して今は存在していないが、戦後もジェット旅客機を手がけるなど大きな実績を残した会社である。

「空飛ぶ円盤」を最初に発案したのはアブロ側で、当初はあくまで会社の資金調達のためのアイデアだった。

そして、そのアイデアに将来性を感じ取ったアメリカが資金提供と技術協力をするような形で後から加わったのである。

当時のアメリカといえばソ連との冷戦の真っ只中である。万が一の有事に備えて、秘密裏に世の中がアッと驚く新型兵器を手に入れようとしたのだろう。

◆浮遊はするがコントロールできない

当初の予定では、直径が約15メートルあり、ジェットエンジン6基が搭載される円盤を造ることになっていた。

ところが、開発途中で大惨事になる寸前のエンジントラブルがあったことで、最初に完成したプロトタイプは直径約5メートル、エンジン3基と大幅に縮小されたものになった。

それでも最近になって公開された設計図を見れば、その姿はまさに誰もがUFOを思い浮かべる時の円盤型のそれだった。

理想とした性能も垂直に離着陸し、最高高度約10万フィート（約30キロメートル）、最高速度マッハ3〜4、最大航続距離1千海里（1852キロメートル）という壮大なものである。

だが、実際にはある程度まで浮遊するとコントロールがきかず、どれだけパワーを全開にしてもマッハどころか、自動車並みの速度しか出なかった。つまり、失敗に終わったのである。

アブロカーS/N 58-7055。

◆２つめの試作機のテスト飛行

だが、すぐに同じメンバーで再挑戦が始まり、２つめの試作機は「ＶＺ－９アブロカー」と名づけられた。

彼らは円盤をどのような原理で宙に浮かせようとしたのか。これには、現在も旅客機などに作用しているコアンダ効果を用いた。

気体や液体の噴流のそばに湾曲した壁があると、噴流は壁の曲面に沿った方向を流れようとする。これがコアンダ効果で、空調システムなどにも応用されている。

開発された機体は、浮かび上がることはできたが不安定で、あまりスピードを出すことはできなかった。

つまり、タービンから出る噴流を円盤の中央に向け、そこで噴流の方向をコントロールし、浮力を生み出すのだ。

こうして1機目の失敗を踏まえてどうにかプロトタイプが完成した。

そして、ついにオハイオ州の空軍基地でのテスト飛行にこぎつけたのである。

◆テストの失敗により開発は中止される

しかし、またしても結果は残念なものに終わった。

3つのターボで地面に向けて強力な風を送るはずが、その弱々しさに機体を維持するだけで精一杯で、高度はわずか2メートルにも満たない。

時速も56～57キロメートルしか出ず、しまいには浮き上がったところでみずからグルグルと回転し、地面に叩きつけられるという結果になってしまったのである。

1機目の成果を上回ることができなかったことで、VZ—9アブロカーは開発続行とはならなかった。

ここまでに投じられた予算は、現在の価値で2660万ドル、日本円にして30億円ともいわれている。

この失敗の影響で、アブロ社では従業員が大量に解雇されてしまった。これにより、空飛ぶ円盤の開発は事実上中止となったのである。

ちなみに、アブロカーはアメリカのスミソニアン航空宇宙博物館の保管施設で眠っているという。

いつかまた、開発の続きが始まる日が来ることもあるのかもしれない。

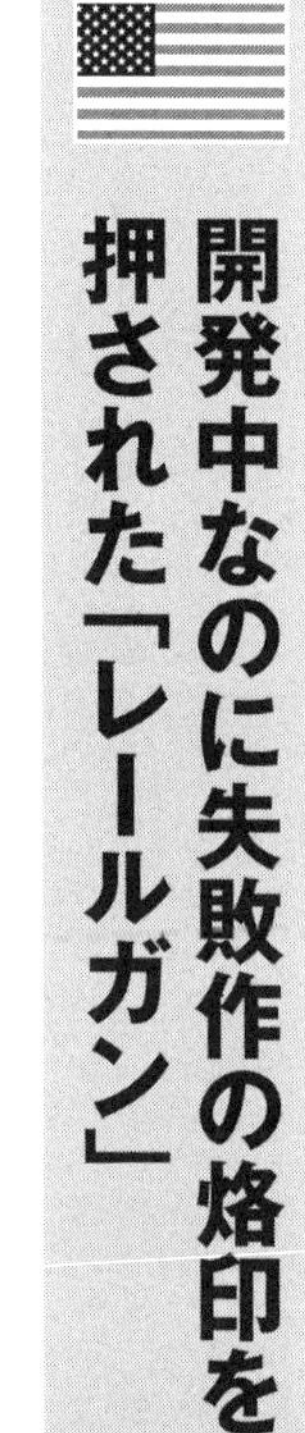

開発中なのに失敗作の烙印を押された「レールガン」

◆酷評された最新兵器

当たり前のことながら、封印された兵器となればふつうは過去のものになる。

ところが、アメリカで長年開発が続けられていながらも、つねにその実用性が疑問視されてきた兵器がある。それが「レールガン」だ。

レールガンの開発は、アメリカが中国およびロシアへの軍事対策として「第三のオフセット（相殺）戦略」と銘打って力を入れているものだ。ちなみに、第一は１９５０年代の戦術核、第二は１９７０年代の精密誘導通常兵器である。

ここでレールガンは、レーザー兵器、３Ｄプリンターと並んで、新時代のハイテク兵器として華々しくデビューするはずだった。

それが、なぜつねに疑問視されてきたのだろうか。

レールガンの試作機。

◆ＳＦに登場しそうな兵器

レールガンのガンはもちろん「ＧＵＮ（銃）」のことだが、従来の銃とはかなり仕組みが異なる。一般的な銃は、装薬と呼ばれる火薬を燃焼させ、それによって発生する燃焼ガスのエネルギーで発砲させる。

だが、レールガンは電力と電磁誘導（ローレンツ力）によって弾を撃ち出すのだ。ネーミングは、弾丸を込める砲身の部分に導電性素材の2本のレールを配置していることに由来している。

そのレールの間に弾を挟んだ状態で電力を送り

込むと、レールと弾が接触している部分で磁場の相互作用が起こり、発射する力を得られる。原理はリニアモーターカーに似ている。

同じ極の磁石が反発しあうエネルギーを利用して、弾を高速発射させるので火薬も必要ない。ＳＦに登場した想像上の兵器が現実のものとなったのだ。

◆圧倒的な発射スピードと射程距離

もちろん、弾丸の発射スピードや射程距離も従来の砲弾とはケタ違いだ。

通常の火薬を使った砲弾の発射スピードはマッハ２程度なのに対して、レールガンはその３倍のマッハ６以上になるという。

10キログラムの弾丸が10メートルの砲身を加速して進み、砲口を出る時のスピードは時速７２４０キロにもなるのだ。

しかも１分間におよそ10発撃つことが可能で、火薬が必要ない分、発射コストもミサイルなどに比べて安価になる。

また、射程距離は現在アメリカの海軍で主流の５インチ砲が約24キロメートルなのに対し、レールガンは２００キロメートルを超えるという。

これは東京～長野の距離に相当する。だから、敵地から相当離れた海上から砲弾を撃ち込むことも可能ということだ。

何もかもがケタ違いの、まさに最強の兵器なのである。これが本格的に実用化されれば、特に対艦弾道ミサイルや対地弾道ミサイルの脅威を大幅に削減することができる、最強の最新兵器として恐れられること間違いなしというふれこみだったのだ。

ハイスピードカメラで撮影された発射の様子。

◆電力とコストがかかりすぎる

ところが２０１６年、アメリカの期待を一身に背負ったこの新兵器に関して、開発の監督責任者であるロバート・ワーク国防副長官が発した言葉に報道陣がざわついた。

というのも、同氏が早くもレールガンが「失敗作」であるかのような発言をしてさじを投げたからである。

その内容とは、レールガンの試験を進めていくなかで、既存の超高速発射弾（HVP）でも、同様の効果が得られることが判明したというものだ。

平たくいえば、レールガンはすでに存在する兵器以上の性能は期待できないと、暗に認めたのである。

問題はそれだけではなかった。

レールガンは強力な磁場を発生させるために、膨大な電力が必要になる。6秒に1発連射するためには、6秒ごとに25メガワットの電力を送り込まなければならないのだ。

ちなみに1メガワットの電力を太陽光で発電する場合、1万5000平方メートルの敷地が必要になる。その25倍の電力が6秒ごとに必要となるのだから、この武器の効率の悪さがわかるだろう。

そのため、軍はレールガンに対応する電力供給能力のある艦艇を建造したが、あまりにもコストがかかり過ぎたので3隻で中止している。

さらに、レールガンは対地攻撃しかできないため、コストの割に出番が少ない。

軍事関係者にとっては夢の兵器だったかもしれないが、実際に形にしてみると無用の長物でしかなかったのだ。

しかし、海軍主導で行われてきたレールガンの開発はすでに20年を超えている。つぎ込んだ予算も計り知れないものがあり、本来なら後戻りできる状況ではない。

開発責任者みずからが「失敗」と敗北宣言したことにより、一時は開発の継続が危ぶまれることもあったが、しかしじつは、レールガンの開発はその後も続けられている。

２０２０年現在、アメリカだけでなく、ロシア、中国、トルコ、そして日本もレールガンの研究中であることを公表しているのだ。

4章

豊かさを追求したプロジェクト

赤字を垂れ流し続けた超音速旅客機「コンコルド」

◆メリットばかりのはずの夢の計画

旅客機は、乗り心地や安全性の面では着実に向上しているものの、スピードに関しては半世紀前からほとんど変わっていない。

ただし、技術面からみれば、もっと速いスピードで飛ぶことは可能だ。実際、1960年代~70年代にかけては、高速で飛ぶ旅客機の開発が盛んに行われている。

この時に生まれたのが、超音速旅客機コンコルドだった。

それまでにも音速を超えるスピードで飛ぶ戦闘機や爆撃機は存在していたものの、旅客機として超音速で飛べるのは、コンコルドが世界初だった。

全長は約62メートル、空気抵抗を減らすための細長い機首と三角形の翼を持ち、全体的にスリムな印象を与える機体である。

安全のためにマッハ2で飛ぶよう決められていたが、コンコルドはマッハ2・2まで出すことができた。一般的な旅客機の平均速度はマッハ0・8程度なので、約2倍のスピードだ。

フライト時間が半分ですむことは、乗客だけでなく航空会社にもメリットがあると考えられた。

1機で2倍の仕事をこなせる計算になるので、航空会社は手持ちの旅客機数を減らすことができ、経費削減につながるというわけである。

世紀の大事業と呼ばれたこの開発は、フランスのシュド・アビアシオン社と、イギリスのブリティッシュ・エアクラフト・コーポレーションが共同で行った。

60年代のはじめ、ヨーロッパの航空会社が導入している旅客機は、およそ8割がアメリカ製だった。アメリカ製をしのぐ旅客機をつくることは、ヨー

スリムな機体のコンコルド。

ロッパの航空機メーカーにとって悲願だったといえる。

ただ、超音速という革新的な技術の開発には膨大な費用がかかるため、国をまたいで協力する異例の体制がとられたのだ。

◆ヨーロッパのプライドをかけた戦い

言葉も習慣も異なる2つの国が協力するのは簡単ではなく、行き違いやトラブルが続出した。

だが、そうまでしても両国には開発を急ぎたい事情があった。

なぜなら、同時期にアメリカとソ連も超音速旅客機の開発に力を入れていたからだ。もしも後れをとったら、市場に食い込むことが難しくなる。ヨーロッパのプライドにかけてこの競争に負けるわけにはいかなかった。

三つどもえ状態で競い合うなか、コンコルドは一歩リードしていた。まだ仮契約ではあったものの、試作機の段階で各国の航空会社から注文が来ていたのである。

当初、200機を売れば元が取れるとしていた目標も、現実に達成できそうな勢いだった。そうして14年の開発期間を経て、１９７６年1月にコンコルドは商業運航を開始した。

最初の路線はロンドン〜バーレーン間と、パリ〜リオデジャネイロ間に開かれている。さらに、ニューヨークやワシントン、シンガポール、日本など路線を拡大していった。

予想を遥かに超える開発費をつぎ込んだうえでの、けっして失敗は許されないスタートだった。

◆就航後に判明したさまざまな問題点

ところが、結果は大惨敗だった。

人気があったのはニューヨーク便くらいで、利用者が少なくて採算が取れない路線は早々に縮小された。

おまけに、仮契約もキャンセルされてしまったのである。

コンコルドが敬遠された理由のひとつは環境問題だ。超音速で飛行する際には、ソニックブームという衝撃波が発生する。

これが爆発のような騒音を引き起こす原因になるのだ。また、排気ガスによる大気汚染も心配された。

さらに、コスト面もネックになった。

通常のファーストクラスを上回るコンコルドの料金は、一般客からみると高すぎた。乗客はフライト時間が多少短くなるよりも、安い運賃を好んだのである。

また、燃費が悪いため長距離を飛べず、定員が100人程度というコンコルドは、航空会社としても魅力に乏しかった。

どうせ飛ぶなら、一度に大量の乗客を運べて運用コストが安いほうがいいに決まっている。

つまりコンコルドは、乗客と航空会社の両方を満足させる条件を備えていなかったわけだ。

◆とどめを刺した墜落事故

結局、コンコルドを購入したのは、イギリスのブリティッシュ・エアウェイズとフランスのエールフランスだけだった。全世界に売り込むはずが、試作機を含めて20機が製造されたに過ぎない。

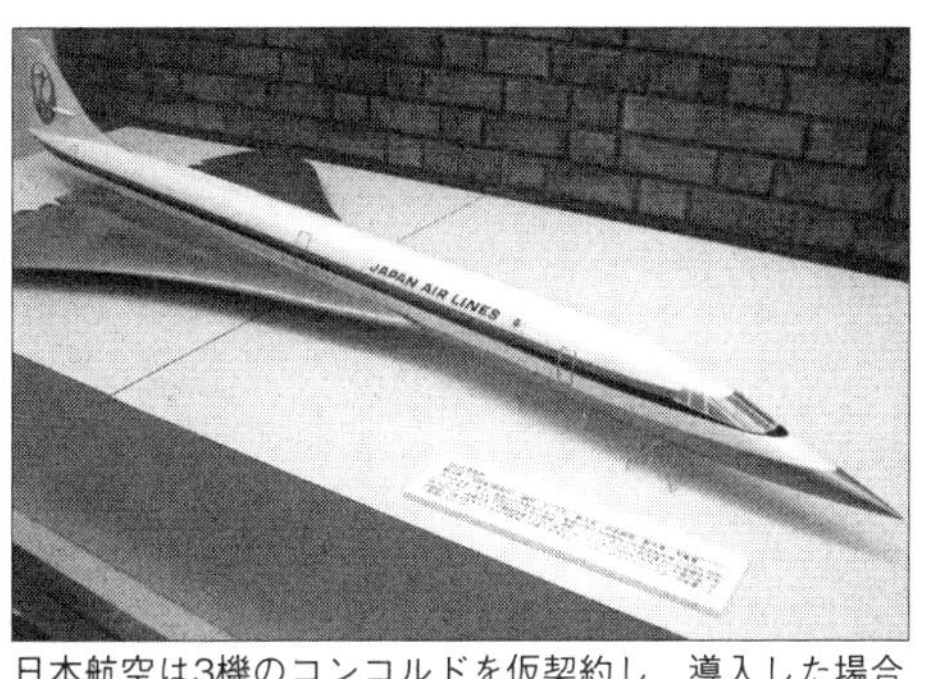

日本航空は3機のコンコルドを仮契約し、導入した場合の予想模型もつくられたが、購入には至らなかった。

運行開始から無事故を守り続けてきたことはコンコルドの誇りだったが、２０００年にその神話も崩れてしまう。パリのシャルル・ド・ゴール空港を離陸した直後に墜落し、地上にいた人も含めて１１３人の犠牲者を出したのだ。

赤字続きのコンコルドにとって、この墜落事故は致命傷になった。

稼げないコンコルドはついに見限られ、その3年後に廃止されたのである。

ちなみに、かけた費用や労力を考えて途中で軌道修正できなくなる心理を、行動経済学では「コンコルドの誤謬（ごびゅう）」と呼んでいる。

フィリピンの首都で行われた水道の民営化計画

◆安全な水を求めて始まった大改革

飲用や調理用をはじめ、トイレ、洗濯、風呂と、水は日々の生活に欠かせないものである。

世界的にみると、1人1日あたり平均で約170リットルを使っており、最低でも50リットルは必要だという。

蛇口をひねれば水が出る日本人には想像しにくいが、この最低限の水さえ手に入らない人々が世界には数多くいる。

衛生状態が悪い、遠くまで水を汲みにいかなければならない、あるいは上下水道が完備されていないといったように、水に関する問題はさまざまだ。

フィリピンの首都マニラもこうした水問題を抱えていた。そこで、安全な水を手頃な価格で広く提供することを目的として、政府は１９９７年に大改革に乗り出した。国が行っていた水道事業を民営化したのである。

マニラに敷設されたパイプライン。

◆計画に対する期待と不安

日本でもいろいろな分野で民営化が進んでいるものの、水道はいまだ公共事業の色合いが濃いといえる。

とはいえ、世界を見渡せば水道事業の民営化はけっして珍しい話ではない。

イギリスはほぼ１００％、フランスは約80％、アメリカでは30％以上が民営化されていて、アジア諸国でも徐々に増えつつある。

そうした状況のなか、フィリピン政府は「民間の資本を導入できるため国の財政が助かる」「政界と水道事業を切り離せば、汚職や癒着も減らせる」と、民営化のメリットを強調した。

その一方で、民営化に反対する声も上がっていた。

水は人間が生きていくために不可欠な公共財産で、誰でも平等に使用する権利がある。民間企業に管理を任せたら利益ばかりを優先して、そうした権利が失われるのではないかと不安に感じる人もいたのだ。

◆人々に提示されたバラ色の計画

結局、マニラの水道事業は2つの民間会社に運営が任されることになった。西地区を担当したのはマニラッド水道事業会社、そして東地区はマニラ・ウォーターだ。

民営化にあたり、まず水道料金が値下げされた。それまで1立方メートルにつき8・75ペソだった料金を、マニラッドは4・96ペソ、マニラ・ウォーターは2・32ペソとしたのである。

料金引き下げのほか、両社とも次のような運営目標を掲げた。

・10年で水道管の普及率を100％にする
・10年間は値上げしない
・利用者全員に衛生基準を満たした水を24時間提供する
・無収水率（料金を回収できない率）を大幅に減らす
・25年以内に80％の地域で下水道事業を展開する
・25年間に40億ドルの税収を生み出す

安い値段で安全な水が手に入り、水道設備も充実するというのだから、市民にとってバラ色の計画であるかのように見えた。

◆はねあがった水道料金

ところが、実際に民営化が始まってみると、利用者への約束はことごとく破られた。10年間は料金を値上げしないと宣言したにもかかわらず、開始から4年で1回目の値上げが行われている。

マニラの川沿いに設置された真新しい水道設備。対岸の古びた家屋らしき部分とは対照的な光景である。

そして2003年には、マニラッドは当初の約4倍、マニラ・ウォーターに至っては約5倍まで水道料金が跳ね上がった。民営化前より高くなったのだ。

下水道の整備はほとんど手つかずで、水道の普及率も目標にはほど遠かった。予定通りには利益が上がらなかったのである。

また、貧困層のなかには民営化に苦しめられた人々もいる。

水道を引くためには、まず各家庭にメーターを取りつけなければならない。だが、これをつける費用が払えないケースが少なくなかった。そういった人々に対して、マニラッドは水道管の設置を拒否したのだ。

以前はみんなが無料で使っていた公共水道もマニラッドの持ち物となり、勝手には使えなくなった。

さらには、契約を結んでいない人たちに水を分けたり売ったりすることまで禁じたのである。

◆政府が水道会社の失敗を尻拭いする

もっとも、値上げも一時しのぎに過ぎず、経営が苦しくなったマニラッドは政府に委託契約金を払わなくなり、2002年に契約の打ち切りを決める。その後、倒産を宣言し、会社更生法による救済措置を求めた。

政府は水道事業を放り出すわけにもいかず、何の価値もなくなったマニラッドの株の80％以上を引き受ける羽目になった。一方のマニラ・ウォーターも経営難が続いている。アジアにおける大規模な水道民営化として華々しくスタートしたものの、成果が上がらなかったばかりか、逆に大きなツケを払わされる結果になったのである。そしてその混乱は改善されないまま、現在もなお続いているのだ。

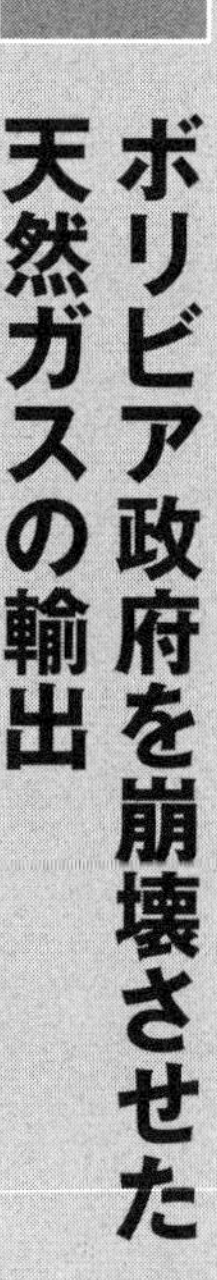

ボリビア政府を崩壊させた天然ガスの輸出

◆豊富な資源を輸出する壮大な計画

ボリビアは南米大陸の中央部に位置している国で、日本からみるとちょうど地球の裏側にある。

チチカカ湖やウユニ湖などの観光地で知られているが、じつは資源大国でもある。銀、スズ、鉛といった鉱物資源が豊富で、20世紀前半はスズの生産・輸出によって経済が大いに活気づいた。近頃はリチウムにも世界中から注目が集まっている。

また、天然ガスの埋蔵量も多い。特に第2次世界大戦後に鉱物資源の価格が暴落してからは、スズに代わる重要な輸出品とみなされ、最初にアルゼンチンへ、次いでブラジルへと天然ガスの輸出が始まった。

ブラジルとの間には３０００キロに及ぶパイプラインを建設し、さらなる輸出拡大を目指すボリビア政府は、北米市場への進出を計画したのである。

◆不安定な国家をまとめるための策

ロサダ元大統領。

北米への輸出を計画したのは、２００２年に就任したロサダ元大統領だった。

ボリビアと太平洋岸をパイプラインでつなぎ、そこからアメリカ西海岸へ運んでいくという大規模な国家プロジェクトだ。

ボリビアではそれまで政権が目まぐるしく入れ替わる時代が長く続いていた。権力闘争に明け暮れる政治家たちは、まともな政策を打ち出せず経済状態は悪化する一方で、政府に対する抗議活動やデモも多発していた。

そこでロサダは、国をまとめるために強いリーダーシップが必要だと考えた。その手段として目をつけたのが天然ガスである。

天然ガスの輸出量が増えれば、入ってくるお金も増える。

財政を立て直して、政府への信頼を取り戻そうとしたわけだ。国が潤うことは、国民にとっても悪い話ではない。

ところが、ロサダが描いた計画は国民から猛反発を食らってしまったのだ。

◆国民の心に残っていたしこり

ボリビアは周囲をペルー、ブラジル、アルゼンチン、パラグアイ、チリに囲まれた内陸にある。そのため、輸出をする際には他国の港を使わなければならない。

当初、港まで引くパイプラインのルートには2つの候補があった。ペルーへ向かうルートと、チリへ向かうルートだ。

コスト面を考えるとチリのほうが有力で、政府はこちらを選びたがった。

これが国民感情を逆なでした。じつに国民の3人に2人はチリ・ルートに反対したという。
なぜなら、国民の心には「海の出口問題」が根強く残っていたからだ。

ボリビアのガススタンドの多くは天然ガスを扱っている。

◆敗戦によって失ったものの大きさ

かつてはボリビアも太平洋に面した領土を持っていた。チリとペルーに挟まれたアタカマ地方という沿岸部で、硝石が豊富に採れる場所だ。硝石もまた富をもたらす貴重な資源のひとつである。

１８７９年、この硝石を巡ってチリとの間に戦争が起きた。ボリビアはペルーと組んで戦ったものの敗北し、アタカマ地方はチリの領土となった。

その結果、ボリビアは４００キロメートルにわたる海岸線と海への出口を失い、内陸部に閉じ込められてしまったのである。

天然ガス資源の国有化を求めるデモ行進。首都ラパスを目指して2000人以上の労働者などが参加している。（写真提供:EPA＝時事）

しかも、チリはアタカマ地方で硝石に続いて銅鉱山も開発し、銅の輸出をぐんぐん伸ばしていった。

自分たちから海の出口を奪ったうえ、そこで得た利益で潤っているチリに対して、ボリビア国民はいい感情を持っていなかったのだ。

◆人々の不満が一気に吹き出す

各地でこの計画に対する抗議活動が起きた。もっとも、天然ガスの輸出は単なるきっかけに過ぎなかったといえる。

誰が政権をとっても社会的な不平等や貧富の差はなくならず、国民の大半は貧しい暮らしを送っていた。

天然ガスで儲けたところで潤うのはエリート層だけで、自分たちに分け前が回ってくるはずはなかった。そんなたまりにたまった不満が一気に噴き出したのである。

激しさを増した抗議行動は暴動へと発展し、治安部隊との衝突で50人以上の死者と数百人の負傷者を出す惨事となった。

◆国外に逃げ出した大統領

多数の犠牲者を出したことによってますます抗議の声は高まり、ついにロサダ政権は崩壊した。そしてロサダ大統領は巨大プロジェクトを放り出し、アメリカへ逃亡してしまう。

ただし、この時点で計画が完全に潰れたわけではなかった。政権を引き継いだメサ大統領は、改めてペルー・ルートでの輸出を検討している。

いったんはペルーの協力を得て計画が動き出しそうな気配もあったのだが、メサ政権もまた短期間で崩壊してしまった。

こうして天然ガスを北米に輸出する計画は、日の目を見ることなく消えていったのだ。

ロシアに属する半島に開いている世界一深い穴

◆地下深くを見たいという科学者の夢

ロシアとフィンランドとの国境に近い場所に、コラ半島という名の土地がある。極寒の砂漠地帯が広がる不毛の土地だが、そこに今では廃墟と化した旧ソ連の科学実験施設がある。

地面をよく見てみるとさびついた鉄のフタがあり、そのフタの下にあるのは世界一深い穴だ。

地球の深層部を見てみたい――。ここは、そんな科学者の夢を実行に移した場所なのである。1970年から約20年をかけて、地中におそろしく深い穴が掘り進められていったのだ。

地下へと続く穴をふさぐフタ。

プロジェクト名は「SG―3」で、穴の深さは1万2262メートルある。当初の計画では1万5000メートルまで掘り進める予定だったが、予想外の障壁にぶつかってしまう。それは地熱だ。

地球は、ただの土のかたまりではない。中心部分には5000度以上という太陽と同じくらい高温のコアがあり、その周囲をこちらも3000度以上あるマントルという物質が取り巻いている。

さらにその上に地殻という岩石の層があり、人間はその上に住んでいるのだ。

だから、地面を掘り進めていくと穴の中はどんどん高温になり、技術的に掘削が難しくなっていく。コラ半島では、地下1万2262メートルで採取した石が予想外の180度もあったため、目標まであと3000メートルを切ったところで計画を断念することになってしまったのだ。

◆科学的な名目の裏にかくされた目的

この掘削の目的は、純粋な地質構造の解明や地下資源の探査だとされている。実際にいろいろな発見もあった。たとえば、地殻の深いところには地下水とは異なる水があり、それが鉱物そのものから生まれたことがわかった。また、深さ6700メートルの地点では顕微鏡でしか確認できない化石が発見され、27億年前のものと推測される石も採取した。24種の単一細胞プランクトンの標本化にも成功している。

まだ誰も見たことがなかった、地球内部の物質に触れることができたのだ。きっと地球科学に携わる研究者にとっては、実り多い実験だったに違いない。

だがそれとは別に、一部ではこの科学実験には別の目的もあったのではないかとささやかれている。

その目的というのが、石油の探査である。

一般的に、石油のもととなっている物質は、何億年も前に生きていた生物の遺骸だといわれている。

その遺骸にマントルからの熱が加わり、さらに地層の圧力がかかって変質したものが石油になるというのだ。これは化石という有機物からできているので、「有機由来説」といわれる。だからその量には限りがあり、いずれ石油は枯渇するといわれてきた。

だが、石油はいまだに枯渇する気配はなく、むしろ可採埋蔵量は増えている。

そこで、徐々に真実味を帯びてきているのが、長い間注目されることがなかった「無機由来説」だ。

掘削機械を覆っている建屋が荒野に残っている。

◆本当の目的は石油の発見だった？

無機由来説では、石油のもととなっているのは惑星が誕生する時に必ず大量に発生する炭化水素と考えられている。つまり、化石さえも存在しない地球の超深度に石油の原料があるというのだ。

炭化水素に長年にわたって高熱と高圧がかかることにより、石油が生まれる。だから、石油は無尽蔵に採掘できるというのがこの説の主張だ。

じつは、ロシアの学会では昔からこの無機由来説が信じられていて、スターリンもこの説をとっていた。その証拠に、第2次世界大戦中に枯渇しそうになったカスピ海の油田をさらに深く掘っているのだ。

しかも、この作業に原子力爆弾を開発するのと同じくらいの費用をかけている。それだけの費用をかけても、掘れば石油が出てくるという確信があったということなのだ。そして、この説を裏づけるかのようにコラ半島の掘削抗からも石油が出ている。ロシアの石油産出量は、1980年代に一度落ち込んでいるが、無機由来説に従って探査し直して復活しているのだ。

現在ロシアは、アメリカ、サウジアラビアに次いで世界第三位の産油国である。

◆掘削技術が他の資源に応用される

ロシア以外でも、ドイツや日本で超深度掘削は行われている。

ドイツのバイエルン州には、1990年から4年間で掘った深さ9100メートルを超える超深度抗がある。コラ半島のものよりも浅いが、温度は260度以上に達した。そして、やはりそれ以上掘り進めることができず、放置された状態になっている。

日本には、新潟県に深さ6300メートル級の穴が2つある。掘削したのは石油や資源の開発などを行っていた帝国石油（現国際石油開発帝石）だ。やはり、超深度掘削と石油は切っても切り離せないのだ。

コラ半島の超深度掘削抗は、目標の1万5000メートルに達せずに終わったが、石油という副産物を得ることができた。

そして、その技術はイエメンやベトナムなどの油田にも応用され、その技術をもとにアメリカのシェールオイルやガスも採掘できるようになったのである。

しかし、ロシアの1万2262メートルという記録も、地球の中心部までの距離からすればわずか0・002パーセントしか掘っていないことになる。

地球を科学で解明するためには、さらなる技術が必要だということだ。その技術が確立されるまでは、穴に溶接されたフタが再び開けられることはないだろう。

原子力研究者の夢だった日本の原子力船「むつ」

◆原子力に対する夢と現実

エネルギー資源が乏しい日本にとって、原子力開発は国策とされてきた。しかし、その開発は軌道に乗っているとはいいがたい。莫大な予算が注がれたプロジェクトがいくつも失敗の憂き目に遭ってきたからだ。

その中でも有名なのが、原子力船「むつ」の放射能漏れ事故だ。1974年、日本初の原子力船むつは海上での臨界試験のために青森県むつ市の大湊港を出港した。

8月28日に初臨界達成というニュースに人々が沸いたのもつかの間、その4日後の9月1日には船上での放射能漏れのニュースでマスコミは大騒ぎとなった。

国産原子力船「むつ」。（写真提供:時事）

むつの放射能漏れの原因は、ストリーミングと呼ばれる現象によるものだ。原子炉の内部にある核物質から高速中性子が遮蔽体の隙間を伝わって漏れ出て、警報ブザーが鳴ってしまったのである。

当時の日本には、設計技術のエキスパートが育っておらず、設計段階からの判断ミスが引き起こした事故だともいえる。

実際、むつの原子炉の設計を確認したアメリカの会社からは、ストリーミングの危険も指摘されていたのだが、この指摘を生かすことができなかった。

◆汚染のイメージにより原子炉が撤去される

むつの船上で起こった事故は、正確には格納容器内の放射性物質からエネルギーが漏れ出す「放射線漏れ」であり、放射性物質そのものが漏れ出したわけではなかった。

しかし、マスコミが第一報を「放射能漏れ」としてセンセーショナルに伝え、その後もその言葉を使い続けて詳細が伝わらなかったことによって、「海を汚染する原子力船」というイメージが植えつけられることになる。

その結果、漁業従事者や港の周辺住民の激しい反対運動に遭い、むつは大湊港に帰れぬまま、2カ月近くを海上で過ごすこととなったのだ。

汚染や風評被害を恐れた地元の人々の反対は根強く、係留する港すらなかなか決めることができなかった。

ようやく帰港できたあとも、その後の実験や開発スケジュールは大幅に遅れることになってしまった。

協議に協議を重ねたあげく、大湊港からむつ市の関根浜港に拠点を移し、点検や整備を繰り返し、再び原子力船として実験航行に出られたのは1991年のことだ。

しかし、わずか1年後にはすべての航行を終了し、1993年には原子炉が撤去された。

その後、むつの船体は解体やアスベスト除去を経てディーゼル機関を動力とした海洋地球研究船「みらい」として再び航行することとなったのである。

事故で漏れた放射線は微量だったというが、「放射能漏れ」という言葉のインパクトは、関係者の想像以上だったといえる。

当時のニュース映像を見る限りでは、船上の乗組員にはそれほどの緊迫感は感じられない。一方で大湊港は、帰港に反対し事故に抗議する地元の人たちであふれかえっていた。

むつは原子力を動力源とした日本初の船であり、進水時には記念切手が発行されるなど、日本中の期待を背負ったプロジェクトだった。それが事故により国民の間に原子力開発への不信感を植えつける結果となってしまったのである。

◆運転を止めたふたつの原子炉

原子力開発のもうひとつのリスクは、維持管理にかかる莫大なコストだ。

たとえば1978年に運転が開始された新型転換炉「ふげん」は、水よりも比重が大きい重水を冷却剤として使用した日本初の国産原発として鳴り物入りで登場した。ふげんは燃料としてプルトニウムを本格的に使用した世界初の原子炉でもある。

2003年に運転を終了するまでに、ウラン・プルトニウム混合酸化物（MOX）燃料772本を燃やし、発電した総量は220億キロワットになる。

初臨界から本格運転開始まで1年というスピードで順調な滑り出しを見せ、目立ったトラブルもなかったふげんが廃炉となったのは、そのコストが原因だった。

新型転換炉に関しては、建設費が当初の見積もりの倍近くとなり、発電単価も軽水炉に対して3倍の高コストとなってしまう。それを受けて、電気事業連合会は新型転換炉開発の中止を申し入れていたのである。

そして1995年、原子力委員会が新型転換炉の実用化を放棄することを決定したのだ。その結果、ふげんは2003年3月29日に運転が停止されたのである。

廃炉が決まった「もんじゅ」。

また2016年末には、政府の原子力関係閣僚会議が高速増殖炉「もんじゅ」の廃炉を決定した。

もんじゅは、燃料を再処理して使用することでエネルギーを循環させ続けることができる、夢の原子炉だった。しかし技術的なトラブルが多発し、結局はほとんど稼働できないままにその役割を終えることとなった。

◆後始末にも莫大なコストがかかる

原子力開発がやっかいなのは、失敗によって原子炉に大量の使用済み核燃料が残るという点だ。さらに、その管理にも巨額の費用がかかるというおまけつきである。

開発段階で莫大な税金が投入されてきたうえに、使用済み核燃料の管理といういわば〝敗戦処理〟に長期にわたって高額な維持費がかかる。

「失敗は成功の母」とはいうものの、原子力開発プロジェクトの失敗は、あまりに大きな傷を残した。

さらに現在は福島第一原発の問題もあり、政府の高速炉開発会議は、大変難しい状況の中で次の開発に向けての新しい方向性を模索している。

原子力開発という諸刃の剣を前にして、再び繰り返されるプロジェクトが失敗した時、それが致命傷とならないことを祈るしかないのである。

ジンバブエが実施した通貨単位切り下げ「デノミネーション」

◆今は流通していないジンバブエドル

自分の持っているお金の価値が、またたく間にゼロになる――。

まるで悪夢のような話だが、そんなできごとがアフリカ大陸の南部に位置するジンバブエで実際に起こったことがある。現在、ジンバブエでは自国の通貨である「ジンバブエドル」の発行が停止され、公式には流通していない。正式な通貨として使えるのは米ドルや隣国・南アフリカの通貨ランド、中国の元など貿易相手国の通貨ばかりである。

なぜ、自分の国のお金が使えなくなるという事態が起こったのか。

それは、ジンバブエが1年間で物価が2億%以上も上昇するという驚異的なハイパーインフレーションに陥ったことと、その対策として行った通貨単位の切り下げ「デノミ

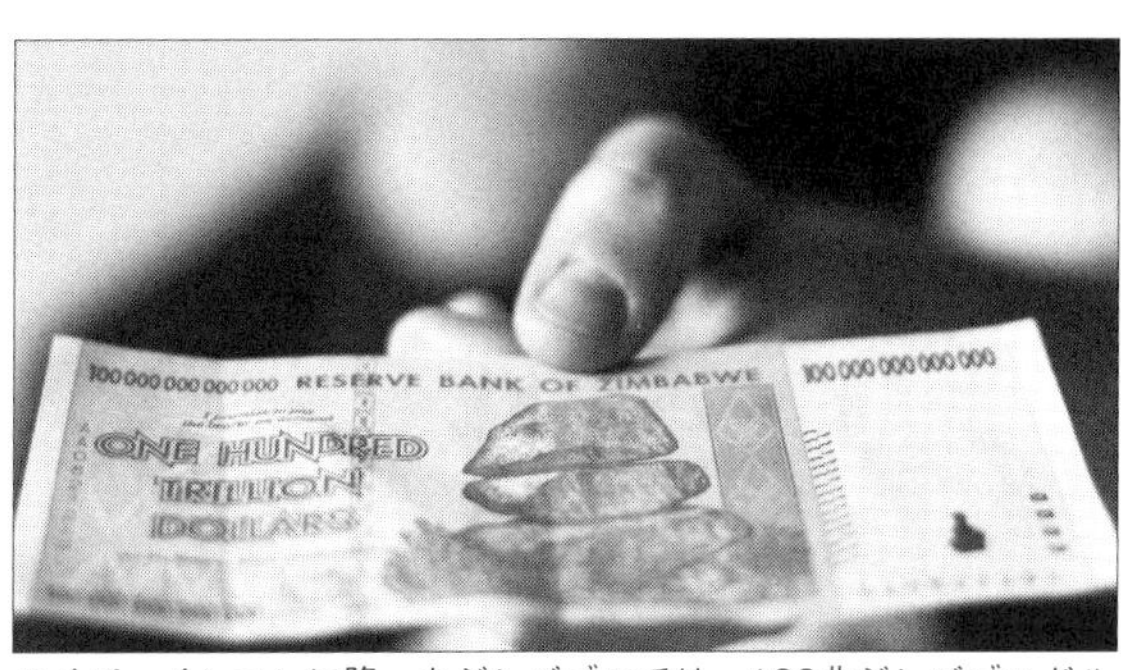

ハイパーインフレに陥ったジンバブエでは、100兆ジンバブエドル札が発行された。

ネーション」に失敗したことである。

◆ハイパーインフレによる経済崩壊

　インフレーションとは、物価の上昇が続き、貨幣の価値が下がっていくことだ。ハイパーインフレーションは、インフレーションが短期間で急激に進行することをいう。

　ジンバブエでは、２０００年頃から徐々にインフレーションが始まった。最初はあまり気にならない程度の物価上昇だったが、２００６年後半頃から一気に加速したのだ。

　しかも、翌年に干ばつが起こったため、すさまじいハイパーインフレーションへと突入していったのである。

人々は物価が日に日に倍に値上がっていくという異常な状況に直面した。あまりに物価が高騰したため、パンを買うにも札束を持っていかなくてはならないほどだった。

銀行では引き出し制限が敷かれ、1日にわずかなおカネしか引き出せない。しかも、引き出したところで昨日は買えたものが今日は高すぎて買えないということもあった。

やがて、どれだけ札束を積み上げても何も買えなくなるほどハイパーインフレーションが進行したため、中央銀行は「100兆ジンバブエドル」という数字の紙幣を発行した。端的に言えば、それまでのジンバブエドルは実質的に無価値になってしまったのだ。

子どもたちは、ただの紙切れになった紙幣をばらまいて遊んだという。

また、主食となるトウモロコシの粉をはじめ、卵や塩などがスーパーから姿を消し、ありとあらゆるモノが不足して人々の日常生活に打撃を与えたのである。

銀行は次々に倒産し、店や企業も経営ができず、国中に失業者があふれかえった。

◆無理な改革による農業崩壊

ここまでを見ると、ジンバブエの窮状は、自然災害など不測の事態による不幸なめぐり合わせのように見えるかもしれない。
しかし実際には、いくつもの人為的なミスが大きな原因なのだ。

歴史を振り返ってみると、じつはかつてジンバブエドルは米ドルよりも高価な紙幣だったこともある。

ジンバブエは、もともとイギリスの自治植民地に端を発する白人支配の国家「ローデシア」だった。それが黒人国家の樹立を目指す内戦を経て、１９８０年にジンバブエ共和国として独立したのである。

独立後も欧米からの支援を受けてインフラが整備され、工業や農業が発展した。また医療、教育も発展して、識字率も90％とアフリカ一を誇るほどだった。そのため、ジンバブエドルは国際的な信頼が高かったのだ。

ところが、そんな良好な経済を破壊したのが、

ジンバブエの首都ハラレのスーパーには空っぽの陳列棚が並ぶ。（写真提供:共同）

独立時から権力を握り続けていたロバート・ムガベ政権だ。

◆奇策も失敗し人々は難民となる

ムガベ大統領は反植民地闘争の英雄で、国民を白人支配から解放した人物だったが、その経済政策はかなりお粗末なものだった。

まず、ムガベ政権は農地改革を行った。白人が保有していた大農場を強制的に無償で接収し、黒人の農民に再配分したのである。

この政策は国民からは歓迎されたものの欧米からは批判され、イギリスやアメリカといった主要援助国が支援を停止するなどの経済制裁を開始したため、ジンバブエ経済は失速し始める。

加えて、乱暴な接収により白人が築いた大規模農業の技術が黒人に継承されなかったことと、干ばつのために、「アフリカの穀倉庫」とまでいわれた肥沃な農地は荒れ、農産物は減少を続けた。

そこでムガベ政権が行ったのが、紙幣を刷りまくることだった。

だが、刷れば刷るだけ紙幣の価値は下落する。市場に出回るモノが減って通貨の発行量だけが増えたことで物価は上昇して、インフレーションはどんどん進んでいった。

しかも、物価の上昇を食い止めるためにムガベ政権は、商品やサービスの価格の引き上げを禁止し、違反すると企業の責任者を逮捕するという策に出たのである。

これでは企業には利益が出ず、撤退するしかない。街中からはモノがなくなり、物価は上がり続けて空前絶後のハイパーインフレーションになったというのが実情なのだ。

こうなると、政府は通貨単位の切り下げであるデノミネーションを繰り返すしかない。1兆ジンバブエドルが新1ジンバブエドルになる、12桁のデノミネーションという奇策まで行われた。

しかし、もはや経済は制御不能で、中央銀行は2015年6月、とうとうジンバブエドルの発行を停止し、米ドルに両替することを発表した。そのレートは、1米ドル＝3京5000兆ジンバブエドルという天文学的な数字だったのである。

ジンバブエでは、今もお金が機能不全のままであり、全財産を失った人が街中にあふれ返り、経済難民として隣国の南アフリカに大勢が流入して社会問題になっている。

当初は国が豊かになることを目指していた国民的英雄のたび重なる失策がジンバブエの人々からすべてを奪ってしまったのだ。

ソフトウェアのプロ育成を目指した「シグマ計画」

◆ソフトウェア技術者が足りなくなる？

1日中スマートフォンが手放せないという人には想像もつかないかもしれないが、ほんの30年ほど前までは私たちの生活の中に携帯電話やインターネットは存在しなかった。会社や自宅にいなければ電話で話すことはできなかったし、電車の乗り換えなどについて事前に調べるのも簡単なことではなかった。

オフィスでも1人が1台のパソコンを使えるようになるのは1990年代後半くらいからで、それ以前は情報システムを開発するような企業であっても、ワークステーションといわれる業務用の端末を何人かでシェアするのが当たり前だったのだ。

そんなIT時代の幕開け前の1985年、日本である国家プロジェクトがスタートした。

AT&T社のUNIXPC。

その名称は「シグマ計画」で、立ち上げたのは当時の通商産業省（現・経済産業省）だ。

通産省は、国内のソフトウェア開発者が１９９０年には25万人、２０００年には97万人が不足すると推測し、ソフトウェア技術者の育成を目的にシグマ計画を発足させたのだ。

◆標準プラットフォームの構築を目指す

通産省はこの事業を立ち上げるにあたって、コンピューターの専門家にプロジェクトについて相談している。

するとその専門家は、ＵＮＩＸをベースにソフトウェア開発者が自由に技術や情報を交換できる全国的なネットワークをつくってはどうかと提案したという。

ＵＮＩＸとは、70年代にアメリカのＡＴ&Ｔ社のベル研究所で開発された世界初のオペレーティング・システム（ＯＳ）で、同時に複数のユーザーが利用（マルチユーザー）できて、しかも同時に複数の処理（マルチタスク）が行えるという機能が搭載されている、当時としては画期的なものだった。

このＯＳはその当時、プログラムの設計図であるソースコードと一緒に無料で配布されており、ユーザーはソースコードを書き換えて自由に改良することができたのだ。

カリフォルニア大学バークレー校で仮想メモリ機能を追加したバークレー版ＵＮＩＸが誕生するなど、当時インターネットが使えた一部のいわば〝オタク〟の間でも話題になっていて、いろいろな種類のＵＮＩＸがつくられては共有されていた。

これをベースに国産のＵＮＩＸをつくり、ソフトウェアを開発するための土台、つまり標準プラットフォームにしようというのが、シグマ計画の最初のアイデアだったのだ。

◆いつのまにかハードがメインになる

ところが、いざプロジェクトが動き出すと、当初の目的とは違った方向に向かい始める。

将来不足することが予測される何十万人ものソフトウェア開発者を育成するために、

ソフト開発のための環境を整えるのが目的だったはずが、ハードウェアの開発のほうに重心が置かれるようになっていくのだ。

その原因は、プロジェクトに日立や富士通など国内のほとんどのコンピューターメーカーが参加していたことと無関係ではない。

そして、いつしかシグマ計画の目標は、日本語化した日本版ＵＮＩＸ（シグマＯＳ）と、それを搭載した1台１００万円台の『シグマステーション』を開発することに変わってしまったのだ。

そして肝心のソフトウェア開発のほうは、このシグマステーションで開発者がつくったソフトを通産省の巨大サーバーで一元管理して、必要に応じて提供するというのだ。だから、そんなにシステムやプログラムの知識がなくても大丈夫、これで開発者不足は解消できるというシナリオだった。

たしかに当時、ワークステーションは1台５００万円以上したので、かなり安くなることには違いないが、これでは肝心のプロの育成には程遠い。

この決定的なズレが修正されないまま計画は進められていった。

SONYの「NEWS」内部。1986年に安価で発売されたこのワークステーションは画期的だった。

◆ソニーが先に低価格マシンを発表

だが、プロジェクトの発足から1年半も経たない１９８６年9月、シグマシステムの開発本部に衝撃が走った。

なんと、ソニーが独自にバークレー版ＵＮＩＸを搭載したワークステーション「ＮＥＷＳ」を完成させたというのだ。

しかもその価格が１００万円台という、まさにシグマ計画で実現しようとしていたものをわずか半年で完成させてしまったのだ。

ソニーは、「ＮＥＷＳ」をさっそく翌月に開催されるデータショーで世にお披露目しようとした。だが、思わぬ障害が立ちはだかった。通産省からシグマ計画に影響するから発表するなと圧力がかかったのだ。

ソニーの開発者らは、将来的にはシグマＯＳを搭載するなどと説得し、何とか発表にこぎつけることができた。その後、ソニーのマシンには「Σ（シグマ）ＳＴＡＴＩＯＮ」のロゴが入れられたが、中身はまったく無関係だったという。

◆世界の流れにより計画は立ち消えになる

さらに、コンピューター業界で「ＵＮＩＸ戦争」が勃発した。

ＡＴ＆Ｔ社の「システムＶ」とバークレー版の「ＢＳＤ」、この２つのＵＮＩＸのどちらを将来の標準規格とするのかで争いが起こり、各国のコンピューターメーカーはどちらを選ぶか決断を迫られたのだ。これは、ただＯＳのソフトを選ぶということだけでなく、どちらの陣営につくのかの選択だった。

シグマステーションにはすでに独自のシグマＯＳが搭載されていたが、動きがかなり遅く使いづらいものだった。それに加えて世の流れに逆らうことはできず、結局、独自路線を捨てて世界共通仕様にすることに合意した。これで、５年間の歳月と２５０億円という巨費をつぎ込んだシグマ計画はすべてが水の泡となってしまったのだ。

大統領の暴言で中止になったフィリピンの小銃輸入計画

◆暴言による取引中止

アメリカのバラク・オバマ元大統領に向かって「地獄に行け」、EUに対しては「くそったれ」、麻薬犯罪に手を染めた人には「殺す」と、なんとも強烈な暴言を吐き続けている人物がいる。

2016年6月にフィリピンの大統領に就任したロドリゴ・ドゥテルテがその人だ。ドゥテルテ大統領のこうした暴言と、行き過ぎともいわれる麻薬取締対策のために、ある大きな取引が同年11月に中止に追い込まれたのをご存じだろうか。

中止になったのは、アメリカからフィリピン警察への銃の売却計画である。売却予定だった銃の数はなんと2万6000丁。それが暴言によってフイになってしまったのだ。

◆実績と黒い噂の両方を持つ大統領

まずは、ドゥテルテ大統領とはいったいどんな人物なのか見てみよう。彼は法科大学院を卒業後に検察官となり、その後に政界に進出してダバオ市長を7期22年にわたって務めてきた。

会見を開くドゥテルテ大統領。

フィリピンのなかでも治安が悪く「犯罪都市」と呼ばれていたダバオだったが、犯罪対策を強化して犯罪発生率を大幅に減少させ、ダバオをフィリピン随一の平和な町へと改善した立役者だ。

また、事業の改善や汚職の撲滅などにも腕をふるい、ダバオに著しい経済発展をもたらしている。

しかし、輝かしい業績の一方で、彼には不穏な噂もつきまとう。

それは凶悪犯罪者を法で裁かず、リンチなどの私的制裁で殺す私設の「処刑団」を組織していたという噂である。

ドゥテルテ本人は処刑団との関わりを否定しているものの、元処刑団を名乗る人物がダバオ市長時代のドゥテルテの指示で、処刑団が結成されたことを議会で証言している。

この元処刑団員によれば、処刑団によって連日のように麻薬密売人やレイプ犯などの犯罪者が殺されていたという。殺害された遺体は、魚が食べやすいように切り刻まれて海に投げ込まれたというのだ。これらの疑惑から、ドゥテルテ大統領は「処刑人」や「ダーティーハリー」と呼ばれ、人権団体などからも批判を受けている。

◆麻薬犯罪者に対する過激な取り締まり

こうした黒い噂のある人物が、あろうことか大統領になってしまったのだ。

大統領に就任する時にドゥテルテ氏が公約に掲げていたのは「麻薬戦争」だった。彼は麻薬犯罪者を「喜んで殺したい」など強気な発言を連発している。

実際、ドゥテルテ大統領の就任以降のたった1カ月で、400人を超える違法薬物の容疑者が現場で警察によって射殺されている。

フィリピン国家警察の発表によると、就任からの数カ月では何千人もの薬物犯罪者が殺され、また街頭で発見される犯罪者の遺体も増加しているといわれる。

恐れをなした麻薬密売人や中毒患者が何十万人も出頭するなど、治安対策への効果は出ているが、ドゥテルテ大統領の非人道的な取り締まりが国際的な批判の的になっているのはいうまでもない。

◆アメリカの不安に暴言で答える

そんななかで問題になったのが、アメリカ政府からフィリピン国家警察へ売却される予定の2万6000丁もの銃だった。

人権問題に敏感なアメリカは、ドゥテルテ大統領が過激な麻薬犯罪撲滅作戦によって人権を侵害していることを以前から懸念していたのである。

当時のオバマ大統領もドゥテルテ大統領が超法規的に犯罪者を殺害していることを批判していた。それに対しドゥテルテ大統領は冒頭のように「オバマよ、お前は地獄に行け」と暴言を吐く始末だ。

大量の銃がアメリカからフィリピン警察に売却されれば、犯罪者への人権侵害を助長することは目に見えていた。そのため、アメリカ側が銃の売却計画を躊躇しているという報道が世界に流れたのである。この報道はもちろんドゥテルテ大統領の耳にも入った。彼は報道を耳にするや否や「2万6000丁の銃を買おうとしたのに、売ろうとしない！　あのサルどもめ！　ゲス野郎！」と、アメリカを口汚く罵ったのだ。

さらには「高い銃をアメリカから買うことに固執するつもりはない！　他からも調達できる。警察にキャンセルを指示した」と述べ、その様子がテレビで放映された。

これに対し、アメリカ国務省の報道官は、「アメリカは、キャンセルについていかなる通知も受け取っていないと理解している」と語ったが、いずれにしても、アメリカ政府から銃を購入しようというドゥテルテ大統領の計画は事実上の中止に追い込まれた形になったのである。

◆ロシアのプーチンと接近する

アメリカからの購入を中止したドゥテルテ大統領は、その後ロシアと中国に接近する姿勢を見せている。実際に、ドゥテルテ大統領とプーチン大統領が会談した際には、「私が売る。1丁の値段で2丁渡す」とプーチン大統領から言われたとも発言しているのだ。

プーチン大統領と握手をするドゥテルテ大統領。この会見ではアメリカに対する批判を展開したという。

しかし、2017年になってドゥテルテ大統領が推し進める麻薬戦争は大きな転換期を迎えている。麻薬犯罪捜査部門のフィリピン人警察官が、麻薬戦争を口実として韓国人のビジネスマンを誘拐して殺害したのである。

フィリピン警察内部の腐敗は以前から指摘されていたのだが、この事件にドゥテルテ大統領は激怒し、麻薬対策部門をひとつ残らず解散するように命じた。

今後は警察よりも規模の小さい麻薬取締庁が軍の支援を受けて麻薬取締業務を引き継ぐことになっているが、銃の購入を含めたドゥテルテ大統領の動向が注目されている。

【主要参考文献】

『第三帝国の神殿にて 上 ナチス軍需相の証言』（アルベルト・シュペーア著／品田豊治訳／中央公論新社）、『キューバ経済史―新大陸発見から植民地主義克服まで』（フリオ・レ・リベレンド著／本間宏之訳／エルコ）、『現代キューバ経済史―90年代経済改革の光と影』（新藤通弘／大村書店）、『河豚計画』（マービン・トケイヤー、メアリ・シュオーツ著／加藤明彦訳／日本ブリタニカ）、『ユートピアの崩壊 ナウル共和国―世界一裕福な島国が最貧国に転落するまで』（リュック・フォリエ著／林昌宏訳／新泉社）、『エリア・スタディーズ57 エクアドルを知るための60章【第2版】』（新木秀和／明石書店）、『なぜ巨大開発は破綻したか 苫小牧東部開発の検証』（増田壽男、今松英悦、小田清編／日本経済評論社）、『国土開発の時代』（山崎幹根／東京大学出版会）、『バイコヌール宇宙基地の廃墟』（ラルフ・ミレーブズ／三才ブックス）、『コの業界のオキテ!!』（藤原博文／技術評論社）、『謀略家たちの中国』（石平／ＰＨＰ研究所）、『毛沢東の大飢饉』（フランク・ディケーター著、中川治子訳／草思社）、『エリア・スタディーズ59 リビアを知るための60章』（塩尻和子／明石書店）、『池上彰の「ニュース、そこからですか⁉」』（池上彰／文藝春秋）、『日本は世界一の「水資源・水技術」大国』（柴田明夫／講談社）、『これだけは知っておきたい（14）お金の大常識』（内海準二、植村峻監修／ポプラ社）、『コンコルド狂想曲 米、欧、ソ三つどもえの夢の跡―超音速旅客機に明日はあるか―』（帆足孝治、遠藤欽作／イカロス出版）、『軍艦の秘密』（齋木伸生／ＰＨＰ研究所）、『第二次世界大戦 最強軍艦Ｔｏｐ45』（宮永忠将／ユナイテッド・ブックス）、『エリア・スタディーズ54 ボリビアを知るための73章【第2版】』（眞鍋周三／明石書店）、『戦艦大和&武蔵と日本海軍３０５隻の最期』（綜合ムック／綜合図書）、『日本国有鉄道百年史 11』（日本国有鉄道編／日本国有鉄道）、『武器・兵器でわかる太平洋戦争』（太平洋戦争研究会編著／日本文芸社）、『太平洋戦争 秘密兵器大全』（別冊宝島編集部／宝島社）、『陸軍登戸研究所の真実』（伴繁雄／芙蓉書房出版）、『エリア・スタディーズ８　現代中国を知るための40章【第4版】』（高井潔司、藤野彰、曽根康雄編著／明石書店）、『「仮面の大国」中国の真実 恐るべき経済成長の光と影』（王文亮／ＰＨＰ研究所）、『10年後の中国 65のリスクと可能性』（高原明生、大橋英夫、園田茂人、茅原郁生、明日香壽川、柴田明夫監修／講談社）、『地球の歩き方 E10 南アフリカ ２０１６～２０１７年版』（地球の歩き方編集室編／ダイヤモンド・ビッグ社）、『２０１４年日本国破産〈衝撃編〉』（浅井隆／第二海援隊）、『続・クレムリンの超常戦略』（ヘンリー・グリス、ウィリアム・ディック著／増野一郎訳／ユニバース出版社）、『ＣＩＡ「超心理」諜報計画　スターゲイト』（デイヴィッド・モアハウス／大森望訳／翔泳社）、『魔術師が未来の扉を開く　神秘学大全』（ルイ・ポーウェル、ジャック・ベルジュ著／伊東守男編訳／サイマル出版会）、『週刊エコノミスト２０１４年5月6・13日合併号、２０１６年7月12日特大号』（毎日新聞社）、朝日新聞、日本経済新聞、読売新聞ほか

【主要参考ホームページ】

AFPBB News, BBC NEWS JAPAN,BCN Bizline, BEST TIMES, Lifehacker, COURRIER JAPON, CNN.co.jp, Ramon book Project, YOMIURI ONLINE, logmil, NATIONAL GEOGRAPHIC日本版、東洋経済ONLINE、産経WEST、日経ＢＰ社、世界史の窓、全労連、在ボリビア大使館、外務省、ミドルエッジ、マイナビニュース、平壌日記、聯合ニュース、産経ニュース、中央日報、東スポＷｅｂ、開発と権利のための行動センター、（独）国際協力機構、（社）日本国際協力システム、日本貿易振興機構　エリアレポート（２０１２年11月号、２０１５年9月号）、ＧＥＰＲ、フクナワ　沖縄タイムス社×福井新聞社、ＢＬＯＧＯＳ、ＮＨＫオンライン、

失敗百選、日本原子力研究開発機構　青森研究開発センター、ＮＨＫアーカイブス　ＮＨＫ名作選　みのがしなつかし、ジャパンビジネスプレス、サーチナ、ハフィントンポスト、石油・天然ガス資源情報、国際環境経済研究所、一橋大学　大学院社会学研究科・社会学、明治大学、陸上自衛隊　第7師団司令部総務課広報・渉外班、リアルライブ、ザ・リバティＷｅｂ、エキサイトニュース、アマチュア無線総合ニュースサイト、ニュースダイジェスト、日テレＮＥＷＳ24、ロシアの声、ロシアＮＯＷ、地方自治体公民連携研究財団、日本地下鉄協会ほか

【画像クレジット】

13ページ（©bundesarchiv and licensed for reuse under Creative Commons Licence）17ページ（左:©bundesarchiv and licensed for reuse under Creative Commons Licence）（右:©KaterBegemot）25ページ（©Олег Михайлович and licensed for reuse under Creative Commons Licence）27ページ（©Alexander Blecher, blecher.info and licensed for reuse under Creative Commons Licence）28ページ（© portishead5）31ページ（©Joseph Ferris III）33ページ（左:©stephan and licensed for reuse under Creative Commons Licence）（右:©Mark Scott Johnson）34ページ（©Clay Gilliland and licensed for reuse under Creative Commons Licence）43ページ（©Robert Aehneltand and licensed for reuse under Creative Commons Licence）44ページ（©Olaf Tausch）49ページ（©Susanturner70 and licensed for reuse under Creative Commons Licence）55ページ（©Prosperosity and licensed for reuse under Creative Commons Licence）79ページ（©mingazitdinov）82ページ（©Northfoto/Shutterstock.

com) 91ページ (©TonyV3112 / Shutterstock.com) １０３ページ (©Cancillería del Ecuador and licensed for reuse under Creative Commons Licence) １０７ページ (©Agencia de Noticias ANDES and licensed for reuse under Creative Commons Licence) １１３ページ (©Comisión Interamericana de Derechos Humanos) １１５ページ (©Ricardo Stuckert/PR) １２３ページ (©Laslovarga and licensed for reuse under Creative Commons Licence) １２４ページ (©Guillaume Baviere) １４７ページ (©Croquant with modifications by User:Hex and licensed for reuse under Creative Commons Licence) １７３ページ (©ERIC SALARD and licensed for reuse under Creative Commons Licence) １７７ページ (©Naru-W and licensed for reuse under Creative Commons Licence) １８２ページ (©Judgefloro and licensed for reuse under Creative Commons Licence) １８５ページ (©Antônio Cruz/ABr) １８７ページ (©Dvortygirl and licensed for reuse under Creative Commons Licence) １９１ページ (©Rakot13 and licensed for reuse under Creative Commons Licence) １９３ページ (©Andre Belozeroff and licensed for reuse under Creative Commons Licence) ２００ページ (©Nife and licensed for reuse under Creative Commons Licence) ２０３ページ (©Adam Selwood) ２０９ページ (©jda) ２１９ページ (©Пресс-служба Президента России)

封印された国家プロジェクト

2020年3月4日　第1刷

編　者　歴史ミステリー研究会

制　作　新井イッセー事務所

発行人　山田有司

発行所　株式会社　彩図社（さいずしゃ）

〒170-0005　東京都豊島区南大塚3-24-4 MTビル
TEL:03-5985-8213
FAX:03-5985-8224

印刷所　新灯印刷株式会社

URL：https://www.saiz.co.jp
https://twitter.com/saiz_sha

　ISBN978-4-8013-0433-8 C0120

本書は弊社より刊行した書籍『封印された国家プロジェクト』（2017年5月発行）を再編集したものです。